D0717540

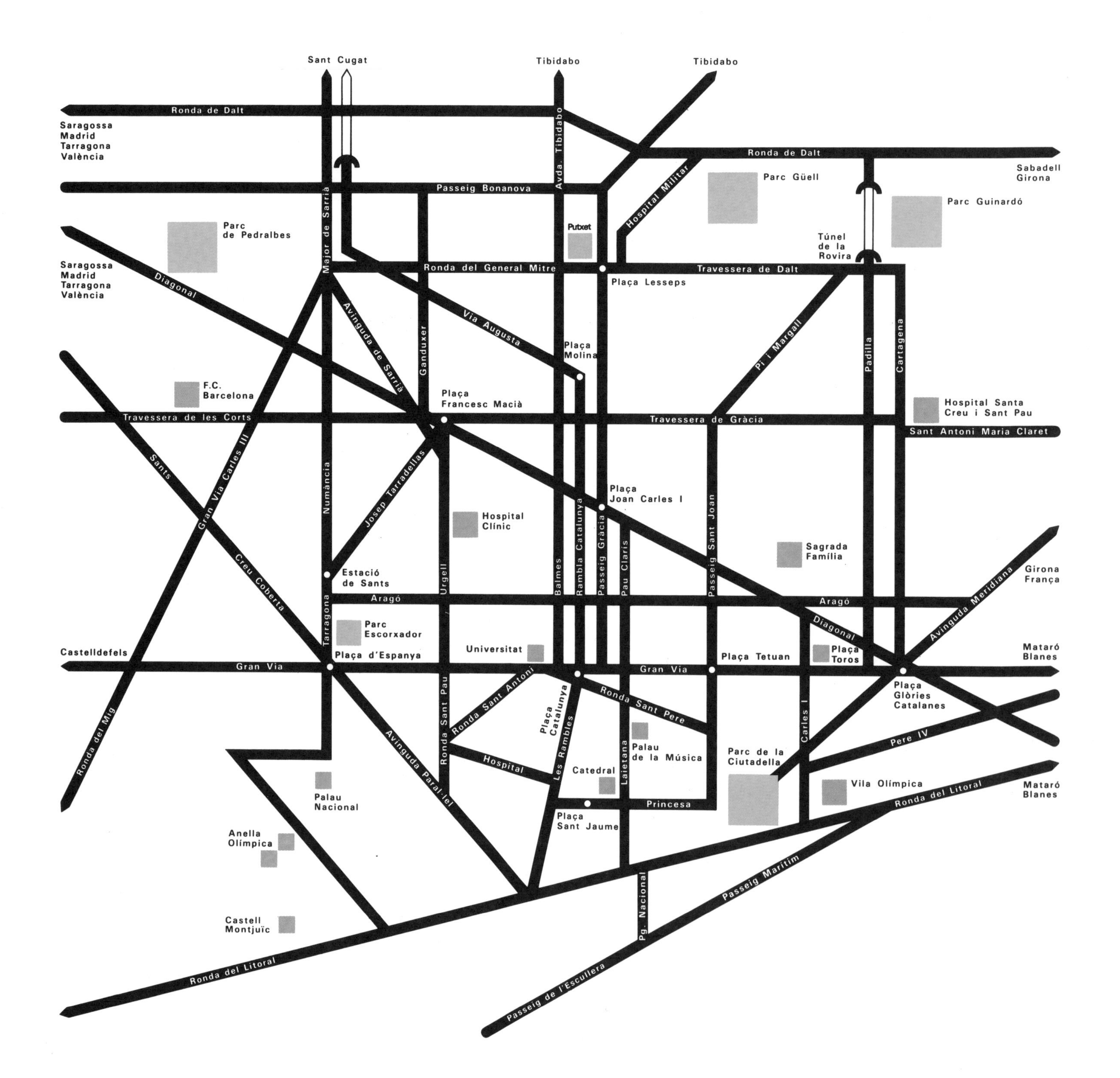
Sant Cugat
Tibidabo
Tibidabo
Ronda de Dalt
Saragossa
Madrid
Tarragona
València
Ronda de Dalt
Sabadell
Girona
Passeig Bonanova
Avda. Tibidabo
Hospital Militar
Parc Güell
Parc Guinardó
Parc
de Pedralbes
Major de Sarrià
Putxet
Túnel
de la
Rovira
Saragossa
Madrid
Tarragona
València
Ronda del General Mitre
Travessera de Dalt
Plaça Lesseps
Diagonal
Avinguda de Sarrià
Via Augusta
Ganduxer
Plaça
Molina
Pi i Margall
Padilla
Cartagena
F.C.
Barcelona
Plaça
Francesc Macià
Hospital Santa
Creu i Sant Pau
Travessera de les Corts
Travessera de Gràcia
Sant Antoni Maria Claret
Sants
Gran Via Carles III
Numància
Josep Tarradellas
Plaça
Joan Carles I
Hospital
Clínic
Passeig Sant Joan
Sagrada
Família
Creu Coberta
Estació
de Sants
Urgell
Balmes
Rambla Catalunya
Passeig Gràcia
Pau Claris
Girona
França
Aragó
Aragó
Tarragona
Parc
Escorxador
Diagonal
Avinguda Meridiana
Castelldefels
Universitat
Plaça
Toros
Mataró
Blanes
Gran Via
Plaça d'Espanya
Gran Via
Plaça Tetuan
Ronda Sant Antoni
Ronda Sant Pere
Plaça
Glòries
Catalanes
Plaça
Catalunya
Ronda Sant Pau
Avinguda Paral·lel
Palau
de la Música
Carles I
Pere IV
Ronda del Mig
Hospital
Les Rambles
Laietana
Parc de la
Ciutadella
Catedral
Vila Olímpica
Mataró
Blanes
Palau
Nacional
Princesa
Ronda del Litoral
Plaça
Sant Jaume
Anella
Olímpica
Pg. Nacional
Passeig Marítim
Castell
Montjuïc
Ronda del Litoral
Passeig de l'Escullera

Barcelona

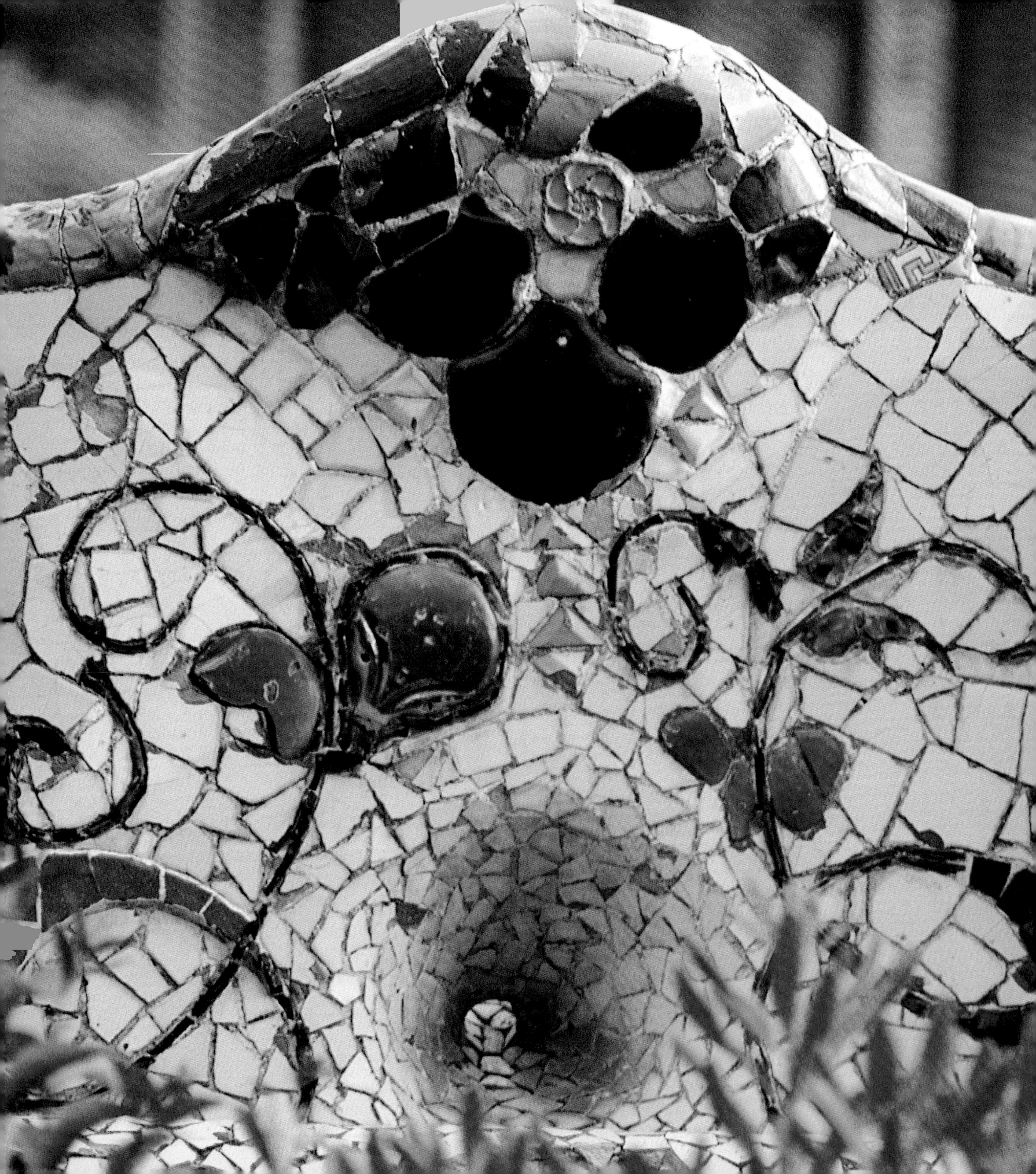

Barcelona

Fotografies / Photographs / 写真

Pere Vivas – Ricard Pla

Edició / Published by / 発行所

Triangle Postals

←←
2 Detall del banc del Park Güell
Detail of the bench in Park Güell
グエル公園のベンチ

↑
3 El Port Olímpic des de l'Escullera
The Port Olímpic from the breakwater
防波堤から見たポルト・オリンピック

→
4 Passarel·la del Port Vell
Port Vell footbridge
ポルト・ベルの遊歩道

→→
5 Rambla de les Flors
Rambla de les Flors
花いっぱいのランブラス通り

MAREMAGNUM

LA VANGUARDIA
BANCA CATALANA

suministros para relojeria
Comercial Montolio y Morenete s.l.
15 DE JUNY
FOTOGRÀFIC
NIKON
CONSULTORI - MÈDIC
medicina general, infermeria, ATS.
9 - La Flor de la Rambla
LAV

Barcelona

Contemplada des de la muntanya del Tibidabo, Barcelona ens mostra una espessa trama de carrers disposats sobre el pla estès davant la mar i protegit per la serra de Collserola, entre els rius Besòs i Llobregat. La història i l'atzar determinaren aquest teixit urbà que alterna espais capritxosos i entreviats amb d'altres més rectilinis i racionals. L'horitzó marí que des d'aquí s'albira es fon amb la història mediterrània d'aquesta ciutat de llum càlida, hereva de cultures diverses. Dels seus orígens ibèrics, el contacte amb el món grec i la refundació romana com a colònia Barcino, Barcelona passà a exercir la capitalitat de Catalunya des del segle X.

El cor de la ciutat es correspon amb l'antic perímetre de les muralles romanes —el traçat de les quals, d'execució sòbria i robusta, encara avui podem seguir amb fidelitat— i les posteriors ampliacions medievals, espai dulcificat pel riu de vida de la Rambla i el límit marítim del port. Durant segles, l'expansió comercial dels barcelonins pel Mediterrani afavorí el creixement econòmic, potencià els gremis d'artesans i la indústria relacionada amb la navegació. L'edifici de la Llotja, l'església de Santa Maria del Mar i les Drassanes ens parlen, des de l'excepcionalitat de la seva arquitectura única, d'aquells moments d'esplendor, com també ho fan la història i el nom de molts carrers i places.

El traçat peculiar de la ciutat antiga permet redescobrir constantment nombrosos racons i detalls d'interès; carrers estrets que esquiven el sol s'obren a altres espais de rara bellesa amb edificis d'arquitectura valuosa, ara restaurats i habilitats per a nous usos públics. Des de la fundació romana, les seus de govern s'instal·laren al centre d'aquest barri històric —aquí legislà el primer parlament

←←

6 Crepuscle a la terrassa de "La Pedrera"
Nightfall on the terrace of "La Pedrera"
黄昏時のラ・ペドレラ屋上

democràtic d'Europa, el Consell de Cent— i avui hi trobem, davant per davant, les seus de les màximes representacions ciutadanes, la Casa de la Ciutat i la Generalitat de Catalunya.

Durant segles la vida dels barcelonins transcorregué dins d'aquest perímetre exigu, fins que la necessitat de creixement forçà l'eixamplament de la ciutat. L'enderroc de les muralles que constrenyien la Barcelona antiga coincidí amb el creixement econòmic i industrial, l'impuls del qual generarà riquesa i bona arquitectura. Així s'inicià una nova era a la ciutat, amb l'oportunitat, per primera vegada, de comptar amb solucions urbanístiques com a punt de partida.

La planificació que permeté eixamplar Barcelona fou ideada per Ildefons Cerdà a mitjan segle XIX, amb la intenció de racionalitzar l'espai comprès entre la ciutat vella i les viles properes que, amb el creixement, foren engolides. La transformació que durant mig segle experimentà Barcelona, en contrapunt al caràcter dens i a voltes anàrquic de la ciutat, no té comparació possible a Europa. La peculiar "quadrícula" de l'Eixample, resultat final de l'expansió, crea un teixit urbà uniforme alterat només per les construccions modernistes més atrevides. El modernisme fou aquí l'expressió d'un desig, el de situar la cultura catalana a l'altura de les més importants d'Europa; una cultura que fos expressió de la potència econòmica dels país i dels seus anhels de llibertat i modernitat.

Hi ha dos esdeveniments que per la seva importància emmarquen el creixement de la ciutat i simbolitzen la recuperació de nous espais: l'Exposició Universal de 1888 i l'Exposició Internacional de 1929. A la primera, els arquitectes modernistes iniciaven el seu camí; a la segona, l'arquitectura racionalista mostrava ja les seves primeres manifestacions. Entre aquestes dues dates, nombrosos artistes —Domènec i Montaner, Gaudí, Picasso, Gargallo, Miró, etc.—, al respir de l'atmosfera renovadora que vivia la ciutat, completaven o bé iniciaven la seva obra, producte d'una època excepcional, tan rica de noves propostes culturals com esperançadora i utòpica en les seves ànsies de transformació social.

La Barcelona que avui gaudim és la suma de tots aquests períodes que, amb el temps, han deixat una empremta generosa. Però una nova Barcelona ha emergit els darrers anys, fruit de la gran transformació urbanística que s'inicià amb la cita olímpica de 1992 i que tingué continuïtat als anys següents, i que ha permès als millors artistes i arquitectes internacionals d'imprimir-hi la seva marca. És la Barcelona renovada i moderna que ha esdevingut un dels destins turístics preferits arreu del món.

El nostre llibre pretén reflectir amb fidelitat la imatge global d'aquesta Barcelona viscuda i sentida, capaç de retornar-nos amb les seves imatges els escenaris del record.

Borja Calzado

↑

7 Porta de la Pau
Porta de la Pau
ポルタ・ダ・ラ・パウ

→→

8 Interior de l'Estadi Olímpic
Interior of the Olympic Stadium
オリンピック・スタジアム内部

Jeux de la XXVe Olympiade
Games of the XXV Olympiad

Barcelona

Seen from the mountain top of Tibidabo, Barcelona shows us a dense network of streets arranged across the plain facing the sea, between the Llobregat and Besòs rivers, and sheltered by the Collserola range. History and chance have shaped this urban fabric which alternates between fanciful and mixed up spaces with other straighter and more rational ones. The horizon of the sea, which we can see from here, merges with the Mediterranean history of this city of warm light, the heir to diverse cultures. From its Iberian origins, the contact with the Greek world and the Roman refoundation as the Barcino colony, Barcelona has been the capital city of Catalonia since the 10th century.

The heart of the city corresponds to the old walled perimeter of the Roman era — whose design, simply and solidly made, can be clearly traced today — and the later medieval extensions, a space freshened by the river of life of the Rambla and the sea limits of the port. For centuries, the expansion in trade carried out by the citizens of Barcelona favoured economic development and strengthened the craftsmen's guilds and the industry related to navigation. The building of the Llotja, the church of Santa Maria del Mar and the Drassanes tells us, from the singularity of their unique architecture, of those times of splendour, as do the history and names of many streets and squares.

The unusual layout of this part of the city enables one to continuously rediscover many little corners and interesting details, and narrow streets, hidden from the sun, lead to other spaces of rare beauty with buildings of valuable architecture, today restored and fitted up for new public use. From Roman times the governing bodies have been located in the heart of this historic district — the Consell de Cent, the Council of one hundred, the first democratic parliament in Europe, had its headquarters here — and today we find, facing each other, the headquarters of the main public authorities, that of the City Council and of the autonomous government, the Generalitat de Catalunya.

For centuries the lives of Barcelona's inhabitants took place within this minuscule perimeter, until the need for growth required the city to expand. The demolition of the walls that were choking the old Barcelona coincided with economic growth and industrial development, whose impetus created wealth and fine architecture. Thus a new era began for the city and the opportunity, for the first time, to propose urban planning solutions as a starting point.

The planning for the enlargement of Barcelona was the brainwave of Ildefons Cerdà, in the mid-19th century, with the aim of rationalising the space between the old city and the outlying villages that were being absorbed by growth. The transformation carried out in Barcelona during half a century, in contrast with the dense and sometimes anarchic character of the city, was unequalled in all Europe. The special "grid" of the Eixample, the end result of the expansion, forms a uniform urban fabric, broken up by the most daring modernist constructions. Modernism here was an expression of a desire to place Catalan culture on a level with the most important cultures in Europe: a culture that was the expression of the country's economic power and of the yearning for freedom and modernity.

Two important events mark the city's growth and symbolise the recovery of new spaces: the Universal Exhibition of 1888 and the International Exhibition of 1929. In the former, the modernist architects began their professional careers and by the time of the latter, rationalist architecture had already begun to express itself. Between these two dates, many artists — Domènech i Montaner, Gaudí, Puig i Cadafalch, Picasso, Gargallo, Miró, etc. — aided by the airs of renewal that the city experienced, finished or began their work, the result of an exceptional period, as rich in new cultural approaches as it was hopeful and utopian in its longing for social change.

The Barcelona we enjoy today is the sum of all these periods, of which time has left a deep and generous mark. In recent years, however, a new Barcelona has emerged, the result of the massive urban transformation that begun with the Olympic Games in 1992 and continued in the following years, in which the top international architects and artists have left their mark. It is the renewed and modern Barcelona that has become one of the world's leading tourist destinations.

Our book aims to faithfully reflect the overall image of this enjoyed and felt Barcelona, with images that take us back to the settings of those memorable times.

Borja Calzado

↑

9 Miró al Pla de l'Os
Miró in the Pla de l'Os
プラ・ダ・ロスのミロ

→→

10 Palau de la Música Catalana
Palau de la Música Catalana
カタルーニャ音楽堂

VILA

Barcelona

ティビダボ山から眺めると、バルセロナの街は、ジョブレガット川とベソス川に挟まれ、背後をコルセローラ山脈に守られた海に面する平野に広がり、整然と並ぶ通りに埋め尽くされている。この街の気まぐれで混沌とした空間と、合理的に作られた秩序正しい空間は、この都市模様を織りなした歴史とそれを彩る様々な出来事の賜物である。彼方に見える水平線には、様々な文化を受け継ぎ、やわらかな光につつまれたこの地中海の街の歴史が融け合っている。イベリア半島の起源の時代から、ギリシャ時代、バルシーノ植民地となったローマ進出の時代を経て、バルセロナは10世紀からカタルーニャの首都としての機能を果たすようになった。

バルセロナ中心部と言えば、ローマ時代の城壁（その簡素で頑強な造りは、今日でも正確にたどることができる）で囲まれていた旧市街や、中世に拡張された部分、活気に満ちたランブラス通り、そして港周辺のウォーターフロント地区である。何世紀にも及ぶバルセロナの人々の地中海貿易への進出により、経済的繁栄がもたらされ、職人同業者組合（ギルド）や航海関連産業も発達した。リョッジャの建物、サンタ・マリア・デル・マル教会、ドゥラサネス（造船所）などは、バルセロナの歴史や、多くの通りや広場に付けられた名前と同じように、その建築の並外れた独創性で、あの輝かしい時代について語っているのである。

バルセロナの中心部では、無数に点在する興味深い街角や細部を再発見することができ、陽の差し込まない狭い通りと貴重な歴史的建築物が、得も言われぬ美しい空間を作り出している。これらの建物は改修され、公共の用途に使用されている。ローマ時代から政府機関はこの歴史的地区の中心部におかれ、ヨーロッパ最初の民主議会「クンセル・ダ・セン」も、この地区におかれた。そして、現在、市の最高代表機関であるバルセロナ市役所「カザ・ダ・ラ・シウタット」と、カタルーニャ州政府庁舎「ジェネラリタット・ダ・カタルーニャ」が、この地に向かい合って建っている。

バルセロナの街に拡張の必要性が生じるまでの何世紀もの間、バルセロナの人々の暮らしはこの小さな地区の中で営まれてきた。経済や産業の発展と同時に、バルセロナの街を押さえ込んでいた城壁が倒壊し、その勢いから富や素晴らしい建築が生み出された。こうしてバルセロナの新しい時代が始まり、その出発点として、都市計画が初めて取り上げられるようになった。

19 世紀半ば、イルデフォンス・セルダが提案したバルセロナの拡張計画は、旧市街と街の膨張のあおりを受けるであろう隣接地区の合理的な再編成を試みたものであった。過密で無秩序でさえあったバルセロナの街の半世紀にも及ぶ再開発は、ヨーロッパでも例を見ないことである。エシャンプレ特有の「碁盤の目」は拡張の最終結果であり、統一された都市模様を作り上げたが、非常に大胆なモデルニスモ建築物が建てられたことにより、街の様相は一変した。このモデルニスモとは、カタルーニャの文化をヨーロッパの最高レベルのものにしたいという強い気持ちの表現であり、国の経済力の誇示、自由や近代化を切望する気持ちの表現であった。

二つの大きな出来事が街の発展を決定的なものとし、新しい地区のシンボルともなった。その出来事とは、1888 年の万国博覧会と、1929 年の国際博覧会である。前者においてモデルニスモ建築が現れ、後者において合理主義建築が早くも出現した。この二つの博覧会の間の時期に、ドゥメネク・イ・ムンタネル、ガウディ、プッチ・イ・カダファルク、ピカソ、ガルガジョ、ミロなどといった数多くの芸術家が現れた。彼らは、当時のバルセロナに漂っていた革新的ムードに影響されて、それぞれの作品を創作、完成させた。これらの作品は他に類を見ない独特な時代の産物であり、その新しい文化的試みは素晴らしく、社会的変化に対する希望や空想に満ちあふれたものであった。

今日、私たちが目にしているバルセロナの街は、こういった全ての時代の集大成であり、そういった時代の貴重な足跡でもある。1992 年のオリンピックを機に始められた大規模な都市再開発は、オリンピック終了後も数年にわたり続けられ、最高レベルの国際的建築物や芸術が街に作り上げられ、ここに新しいバルセロナが誕生した。そして、この新しく現代的なバルセロナの街は、世界的に最も人気のある観光都市の一つとなったのである。

本書では、この生き生きとした、感動に満ちあふれたバルセロナの街の全体的な姿を正確に映し出すことに全力を注ぎました。ページを繰るたび、バルセロナの思い出の場所に舞い戻ったような気分を味わっていただければ幸いです。

ボルハ・カルサド

↑

11 "Casa de les Punxes"
"Casa de les Punxes"
レス・プンシャス集合住宅

←

12 Vista aèria del barri de la Ribera
Aerial view of La Ribera district
リベラ地区の空からの眺め

↑

13 Museu d'Art Contemporani de Barcelona
The Museum of Modern Art of Barcelona
バルセロナ現代美術館

→→

14 Vista nocturna del Port Vell
Night view of Port Vell
夜のポルト・ベル

MAREMAGNUM

DRAGADOS

←

15 Monument a Colom, al port
Columbus monument in the port
港のコロンブス記念碑

↑

16 Rambla de Mar
Rambla de Mar
ランブラ・デ・マル

↑

17 "Golondrina" navegant al port
"Golondrina" pleasure-boat leaving the port
港を遊覧する「ゴロンドリーナ」

→

18 Telefèric
Cable car
ロープウェー

II

↑

19 Panoràmica de la Rambla de Santa Mònica
View of the Rambla de Santa Mònica
サンタ・モニカのランブラス通り

→

20 El cor de la ciutat medieval
The heart of the medieval city
中世のたたずまいを残す地区

↑

21 Claustre de la Catedral
Cathedral Cloister
大聖堂の回廊

→

22 Detall barroc del Palau Dalmases
Baroque detail of the Palau Dalmases
パラウ・ダルマセスのバロック・ディテール

↑
23 Plaça del Pi
Plaça del Pi
ピ広場

→
24 Botiga d'antiguitats
Antique shop
骨董品店

→→
25 Plaça Reial
Plaça Reial
レイアル広場

←

26 La ciutat medieval
The medieval city
中世の街

↑

27 Castellers a la plaça de Sant Jaume
"Castellers" in the Plaça de Sant Jaume
サン・ジャウメ広場の「カステェリェールス」

↑

28 Rosassa de l'església del Pi
Rose window of the Església del Pi
ピ教会のバラ窓

→

29 Detall de la façana de la Catedral
Detail of Cathedral façade
大聖堂のファサード

→→

30 La Boqueria
The Boqueria market
ボケリア市場

843
842
RAFELS SA
774

844

↑
31 Drac de la casa Bruno Quadros
Dragon on the Casa Bruno Quadros
ブルーノ・クゥアドロス邸の龍

→
32 Museu d'Història de la Ciutat
The Cyti History Museum
バルセロナ歴史博物館

↑
33 Pont gòtic del carrer del Bisbe
Gothic bridge in Carrer del Bisbe
ビスベ通りのゴシック様式の橋

→
34 Ball de gegants
Dance of the Giants
ジャガンツの踊り

HOTEL

↑
35 Bústia de la casa de l'Ardiaca
Letterbox in the Casa de l'Ardiaca
カザ・ダ・ラルディアカの郵便受け

→
36 Pati del Palau Dalmases
Courtyard of the Palau Dalmases
パラウ・ダルマセスの中庭

↑

37 Interior de Santa Maria del Mar
Interior of Santa Maria del Mar
サンタ・マリア・デル・マル教会の内部

→

38 Màgia i poesia a les botigues
Magic and poetry in the shops
魅力や詩情に満ちた店々

EL REY DE LA MAGIA
CASA FUNDADA EN 1881
11
11
MAGIA

GENERALI assurances
487 06 01
PANS

←
41 Esports urbans
Sport in the city
大都市でのスポーツ

↑
42 Platges
Beaches
ビーチ周辺

↑

43 Plaça Rovira i Trias
Plaça Rovira i Trias
ロビラ・イ・トゥリアス広場

→

44 Instantànies ciutadanes
City snapshots
街角のスナップ

PERLAS
ESCRIBA
MOET
B·6433·G

↑
45 Esgrafiats de Picasso
Graffito friezes by Picasso
ピカソの掻き絵フリーズ

→
46 *Cap de Barcelona*
Cap de Barcelona
「カップ・ダ・バルセロナ」

←

47 Pa amb tomàquet
"Pa amb tomàquet"
「パ・アム・トマカッツ」

↑

48 Galera Reial del Museu Marítim
Royal Galley of the Museu Marítim
海洋博物館の王室ガレー船

↑

49 Centre de Cultura Contemporània
The Contemporany Culture Centre
バルセロナ現代文化センター（CCCB）

→

50 *Dona i Ocell*, de Joan Miró
Dona i Ocell, by Joan Miró
ジョアン・ミロの「ドナ・イ・ウセル」

↑
53 Racó de l'Eixample
Corner of the Eixample
エシャンプレの片隅

→
54 Escut del mercat de La Boqueria
Coat of Arms of La Boqueria market
ボケリア市場の紋章

→→
55 Vitrall de la casa Lleó Morera
Stained-glass of the Casa Lleó Morera
リェオ・モレラ邸のガラス窓

←

51 Columnata del Palau de la Música
Colonnade in the Palau de la Música
カタルーニャ音楽堂の柱廊

↑

52 Palau de la Música Catalana
Palau de la Música Catalana
カタルーニャ音楽堂

MERCAT
SANT JOSEP
LA BOQUERIA

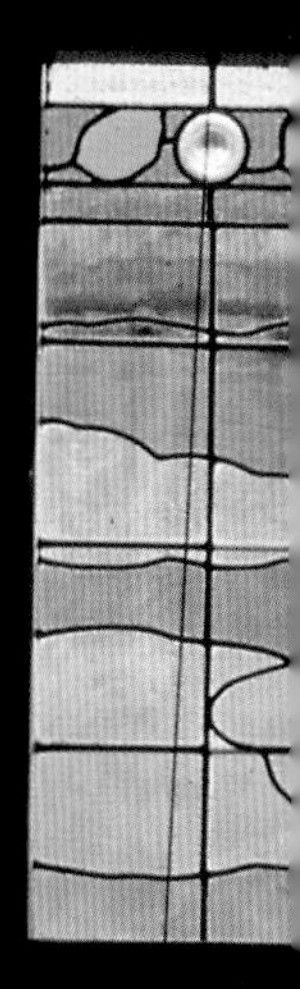

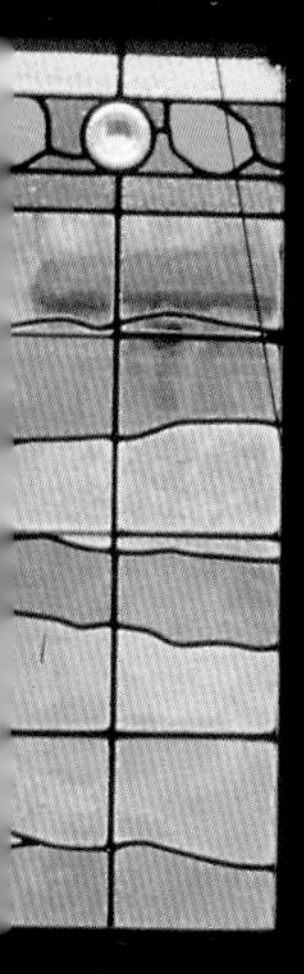

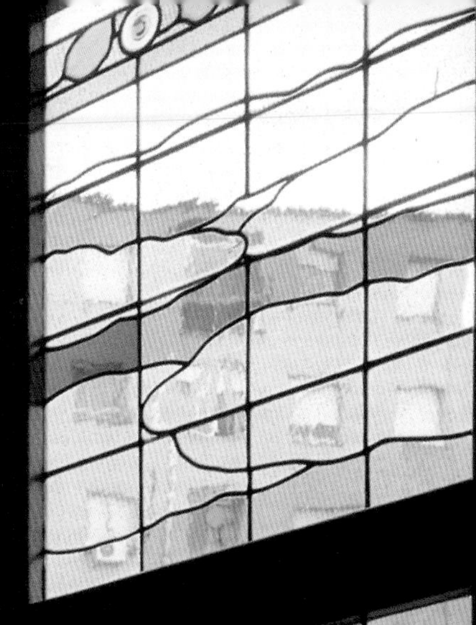

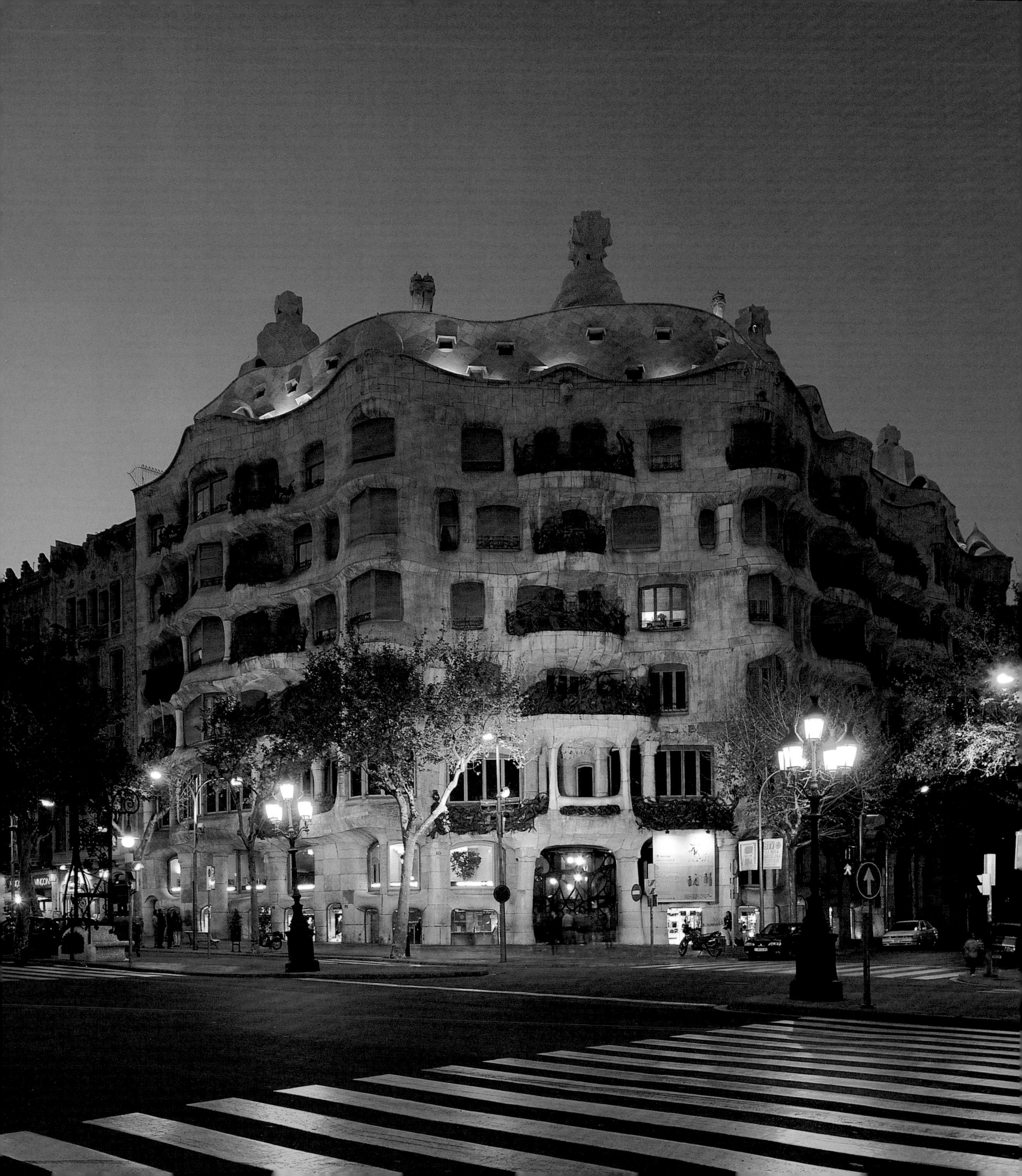

←

56 "La Pedrera", de Gaudí
"La Pedrera", by Gaudí
ガウディのラ・ペドレラ

↑

57 Balcó-tribuna de la casa Milà
Balcony-gallery of the Casa Milà
ミラ邸のバルコニー

←
58 Terrassa esglaonada de la casa Milà
Terraced rooftop of the Casa Milà
ミラ邸の階段状のテラス

↑
59 Casa Batlló
Casa Batlló
バトリョ邸

←

60 Xemeneies de la casa Batlló
Chimneys on the Casa Batlló
バトリョ邸の煙突

↑

61 Interior de la casa Batlló
Interior of the Casa Batlló
バトリョ邸内部

↑
62 Casa Amatller
Casa Amatller
アマトリェル邸

→
63 Detalls modernistes
Modernist details
モデルニスモの街並み

→→
64 Arc de Triomf
Triumphal Arch
凱旋門

↑

65 Panoràmica aèria de la Sagrada Familia
Aerial view of the Sagrada Família
サグラダ・ファミリアのパノラマ

→

66 Detall de la façana del Naixement
Detail of the Nativity façade
生誕のファサードのディテール

Sanctus
Sanctus
Sanctus
Sanctus
Sanctus
Sanctus
Sanctus
Sanctus

↑

67 Pont entre dues torres
Bridge between two spires
二本の鐘楼を結ぶ橋

→

68 Detalls de la Sagrada Família
Details of the Sagrada Família
サグラダ・ファミリアのディテール

↑
69 Interior de la Sagrada Familia
Interior of the Sagrada Família
サグラダ・ファミリア内部

→
70 Façana de la Passió
Façade of the Passion
受難のファサード

→→
71 Drac de l'escalinata del Park Güell
Dragon on the stairway of Park Güell
グエル公園の正面階段のドラゴン

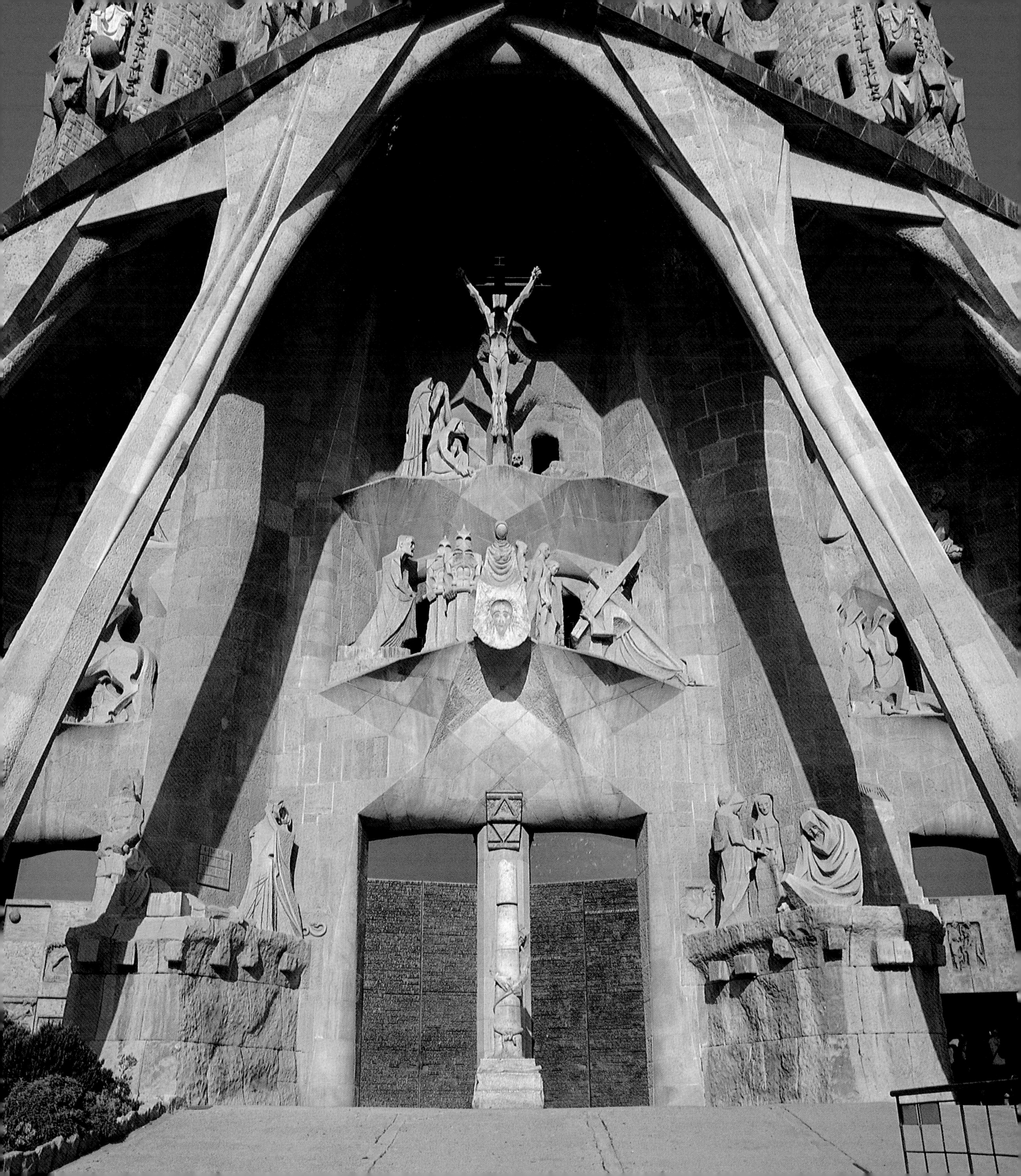

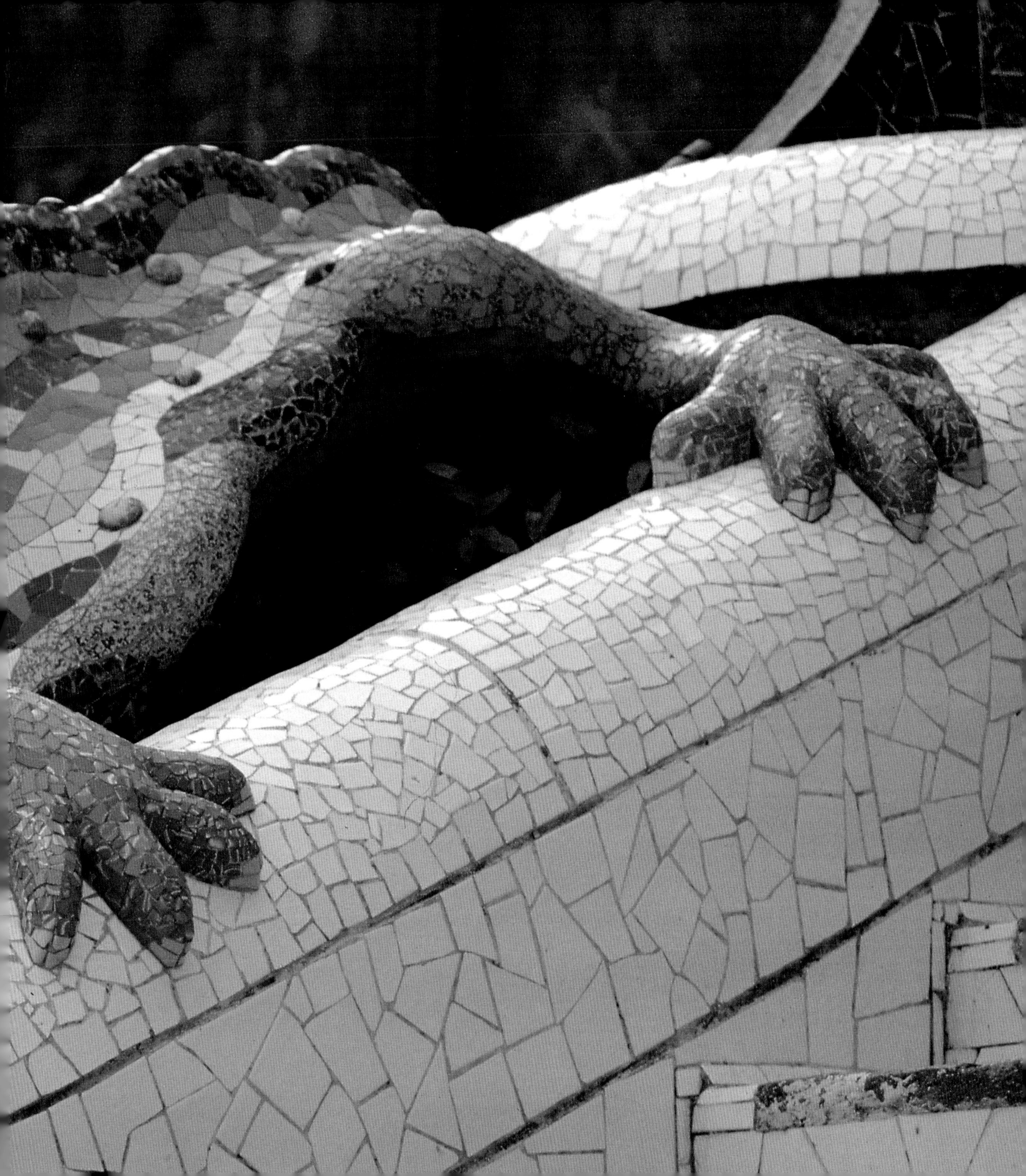

←

72 Un parc protegit per la UNESCO
A park protected by UNESCO
ユネスコ保護下の公園

↑

73 Banc de la plaça del Park Güell
Serpentine bench in Park Güell
グエル公園の広場のベンチ

←

74 Galeria amb pòrtics del Park Güell
Porched arcade in Park Güell
グエル公園の回廊

↑

75 Pavelló del Park Güell
Pavilion in Park Güell
グエル公園入口の建物

←

76 Jardins del Park Güell
Gardens in Park Güell
グエル公園の庭園

↑

77 Columnata dòrica del Park Güell
Doric colonnade in Park Güell
グエル公園のドーリス式柱廊

↑

78 Casa Vicens
Casa Vicens
ビセンス邸

→

79 Museu de Zoologia, des de l'Hivernacle
The Museum of Zoology from the greenhouse
温室から眺めた動物博物館

↑
80 Detall de la casa Amatller
Detail of the Casa Amatller
アマトリェル邸のディテール

→
81 Interior del Palau Macaia
Interior of the Palau Macaia
マカイア邸内部

↑
82 Escala de la casa Manuel Felip
Stairway in the Casa Manuel Felip
マヌエル・フェリップ邸の階段

→
83 Porta del Drac. Pavellons Güell
The Dragon Gate at the Güell Pavillions
フィンカ・グエルの門扉のドラゴン

→→
84 Entrada als Pavellons Güell
Entrance to the Güell Pavillions
フィンカ・グエルの入口建物

↑

85 Façana posterior de la casa Comalat
Rear façade of the Casa Comalat
コマラー邸の裏側ファサード

→

86 Interior de Bellesguard
Interior of Bellesguard
ベリェスグアルド内部

↑
87 Reixa del Palau Güell
Grille of the Palau Güell
グエル邸の鉄格子

→
88 Terrassa del Palau Güell
Terrace of the Palau Güell
グエル邸の屋上

↑

89 Fundació Joan Miró. Montjuïc
The Joan Miró Foundation. Montjuïc
モンジュイックのジョアン・ミロ財団

→

90 Interior de la Fundació Joan Miró
Interior of the Joan Miró Foundation
ジョアン・ミロ財団の内部

→→

91 Auditori Municipal
The Municipal Auditorium
市民ホール

PAiSTE
musser

←

92 La ciutat als peus del Tibidabo
The city below Tibidabo
ティビダボ山のすそ野に広がる市街

↑

93 Torre de telecomunicacions
Telecommunication tower
通信塔

←
94 Bars i locals nocturns
Bars and nightspots
バルとナイトスポット

↑
95 Casa Arnús. "El Pinar"
Casa Arnús. "El Pinar"
アルヌス邸「アル・ピナー」

←

96 Anella olímpica de Montjuïc
The Olympic Area of Montjuïc
モンジュイックのオリンピック競技場

↑

97 Aurigues de Pablo Gargallo
Charioteers by Pablo Gargallo
パブロ・ガルガジョの御者

↑
98 Teatre Nacional de Catalunya
The National of Catalonia Theatre
カタルーニャ国立劇場

→
99 Escultura de Georg Kolbe
Sculpture by Georg Kolbe
ジョージ・コルベの彫像

↑

100 Mamut del Parc de la Ciutadella
Mammoth in Parc de la Ciutadella
シウタデリャ公園のマンモス

→

101 Parc del Laberint
Parc del Laberint
迷路公園

↑

102 Pont de Bac de Roda
Bac de Roda Bridge
バック・ダ・ロダ橋

→

103 Parc de l'Espanya Industrial
Parc de l'Espanya Industrial
スペイン産業公園

↑
104 Interior de l'Aquàrium
Interior of the Aquarium
水族館内部

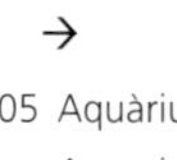

→
105 Aquàrium
Aquarium
水族館

→→
106 Palau Sant Jordi
Palau Sant Jordi
パラウ・サン・ジョルディ

l'aquàrium
l'aquàrium
CAIXA

←

107 Floquet de Neu, barceloní il·lustre
Floquet de Neu, a citizen of Barcelona
バルセロナの人気者「コピート・デ・ニエベ」

↑

108 Barri de la Vila Olímpica
The Vila Olímpica
オリンピック村

←

109 Claustre del Monestir de Pedralbes
Cloister of the Monestir de Pedralbes
ペドラルベスの修道院の回廊

↑

110 *Elogi de l'aigua* de Chillida
In praise of water by Chillida
チリーダの「水への賛美」

↑
111 Estadi del Futbol Club Barcelona
Barcelona Football Club Stadium
F.C. バルセロナのサッカースタジアム

→
112 Foc i Diables
Fire and Devils
火と悪魔

↑

113 Mosaic romà
Roman mosaic
ローマのモザイク

→

114 Pantocràtor romànic
Romanesque Christ Pantocrator
ロマネスク壁画「全能の神」

EGO LVX
SVM
S BARTOLOMEE
S IOANNES

PARKING

←

115 Fundació Antoni Tapies
The Antoni Tapies Foundation
アントーニ・タピエス財団

↑

116 Pati central del Museu Picasso
Central courtyard of the Picasso Museum
ピカソ美術館の中庭

	Català	English	日本語
	1 Quadrícula de l'Eixample La quadrícula planificada per Ildefons Cerdà preveia les necessitats futures que plantejaria el creixement de Barcelona. Els interessos privats van impedir que el projecte urbanístic més atrevit de la ciutat contemporània es desenvolupés totalment segons el projecte original.	The quadrangles of the Eixample The squared urban planning by Ildefons Cerdà foresaw the future needs of the growing city. A conflict of interests prevented this most ambitious project for a modern city from being completed in accordance with the original plans.	碁盤目状のエシャンプレ地区 イルデフォンス・セルダーが設計した碁盤目状の街並みは、バルセロナの将来の拡張を前提に計画されたものであった。しかし、利害関係による対立のため、非常に大胆な都市計画は、彼の原案が完全に実施されるには至らなかったのである。
	2 Detall del banc del Park Güell El trencadís del banc, amb multitud de colors i formes insòlites, és una mostra de les fructíferes col·laboracions entre Gaudí i Josep M. Jujol, encara que no s'han de descartar aportacions espontànies dels artesans que el construïren.	Detail of the bench in Park Güell The "trencadís" of the bench, in multicoloured and unusual shapes, is an example of the fruitful collaboration between Gaudí and Josep Mª Jujol, although contributions from the craftsmen who actually built it should not be ruled out.	グエル公園のベンチ 色鮮やかで不思議な形をしたベンチの「トレンカディス」は、実際にこれを作り上げた職人たちの協力を無視することはできないが、ガウディとジュゼップ・マリア・ジュジョルの才能が融け合った作品の一つでもある。
	3 El Port Olímpic des de l'Escullera El Port Olímpic és ara l'eix central del retrobament de la ciutat amb el mar, un nou espai amb una gran acceptació per a tot tipus d'activitats d'oci i de lleure.	The Port Olímpic from the breakwater The Port Olímpic now features as the central meeting point between the city and the sea, a new space that is very popular for all kinds of leisure and recreational activities.	防波堤から見たポルト・オリンピック ポルト・オリンピックは、今やバルセロナのウォーターフロント地区の中心であり、趣味や娯楽など様々な楽しみ方ができる新しいスポットである。
	4 Passarel·la del Port Vell Concebuda com un nova rambla del mar, la passarel·la mòbil enllaça el Moll de la Fusta amb el Moll d'Espanya, i aconsegueix integrar aquesta zona d'esbarjo amb la resta de la ciutat.	Port Vell footbridge Designed as a new marine Rambla, the moving footbridge connects Moll de la Fusta with Moll d'Espanya, integrating this leisure area into the rest of the city.	ポルト・ベルの遊歩道 モル・ダ・ラ・フスタとモル・デスパーニャの間に架かる可動式の歩道橋は、海辺の大通りとして、新しいアミューズメント地区とバルセロナ市街を結んでいる。
	5 Rambla de les Flors Des de sempre, la Rambla ha estat l'expressió del ritme ciutadà, un espectacle inexhaurible de gent i color al llarg del trajecte que porta fins al mar.	Rambla de les Flors La Rambla has always represented the city's heartbeat, an untiring spectacle of people and colour that winds its way down to the sea.	花いっぱいのランブラス通り ランブラス通りは、常にバルセロナ市民の躍動が表現される場であり、人波がとぎれることはなく、海までの長い道のりは様々な色彩にあふれている。

6 Crepuscle a la terrassa de "la Pedrera"

De nit augmenta la força expressiva de la terrassa de "la Pedrera" i cadascun dels seus elements es recobreix d'un aire màgic i fantasmagòric.

Nightfall on the terrace of "La Pedrera"

The evening view of the terrace of La Pedrera increases its expressive strength and covers each element with a magical and phantasmagorical air.

黄昏時のラ・ペドレラ屋上

夜のラ・ペドレラ（ミラ邸）の屋上は、それぞれの要素が不思議で幻想的な雰囲気に包まれ、その表現力はさらに広がりを見せる。

7 Porta de la Pau

A la plaça de la Porta de la Pau coincideixen el començament de la Rambla, el monument a Colom i les importants drassanes medievals, seu del Museu Marítim.

Porta de la Pau

The square of the Porta de la Pau coincides with the beginning of La Rambla alongside the Columbus monument and the extremely important medieval arsenal, today the Museu Marítim.

ポルタ・ダ・ラ・パウ

ポルタ・ダ・ラ・パウ広場はランブラス通りの起点でもあり、コロンブスのモニュメントや、現在は海洋博物館となっている中世の造船所が隣接する。

8 Interior de l'Estadi Olímpic

Els genets de l'escultor Pablo Gargallo presideixen les nombroses activitats esportives que tenen lloc al llarg de tot l'any a l'Estadi Olímpic.

Interior of the Olympic Stadium

The horsemen by the sculptor Pablo Gargallo overlook the many sporting events held throughout the year in the Olympic Stadium.

オリンピック・スタジアム内部

彫刻家パブロ・ガルガジョの御者像は、このオリンピック・スタジアムで一年を通して行われる様々なスポーツ競技を見守っている。

9 Miró al Pla de l'Os

El mosaic de Joan Miró, un homenatge de l'artista als vianants, assenyala el punt intermedi del sinuós recorregut de la Rambla.

Miró in the Pla de l'Os

The mosaic by Joan Miró marks the centre of the sinuous route taken by La Rambla, a tribute by the artist to passers-by.

プラ・ダ・ロスのミロ

ジョアン・ミロのモザイクが、曲がりくねったランブラス通りの中間地点を示している。

10 Palau de la Música Catalana

Temple del modernisme, el Palau de la Música Catalana es pot considerar com el màxim exponent d'aquest corrent estètic. La sala de concerts i l'escenari es concebiren com un espai únic en què destaquen els grups escultòrics que simbolitzen la música popular i la música clàssica.

Palau de la Música Catalana

The temple of Modernisme, the Palau is considered by many to be the unrivalled example of the aesthetics of that time. The concert hall and stage were designed as one spacious element in which the groups of sculptures, representing both classical and traditional music, are of particular interest.

カタルーニャ音楽堂

カタルーニャ・モデルニスモの頂点とも言えるカタルーニャ音楽堂は、モデルニスモ美学を最大限に表現した典型的建物である。このコンサートホールは、ポピュラー音楽とクラシック音楽を象徴する彫刻群に飾られた唯一の空間と考えられている。

11 "Casa de les Punxes"

Situada a la Diagonal, entre els carrers de Bruc i de Roger de Llúria, és una obra de Puig i Cadafalch realitzada en clau neogòtica. Té la peculiaritat d'ocupar una illa sencera de l'Eixample, cosa que li proporciona una cohesió extraordinària.

"Casa de les Punxes"

The "Casa de les Punxes", situated on the Diagonal between Bruc and Roger de Llúria Streets, was built on neo-gothic lines by the architect Puig i Cadafalch. It is unique in that it occupies an entire block of Eixample, providing it with an extraordinary cohesion.

レス・プンシャス集合住宅

ディアゴナル地区のブルック通りとリュリア通りの間にあるレス・プンシャス集合住宅は、プッチ・イ・カダファルクがネオ・ゴシック様式で建築したものである。エシャンプレの一ブロック全てを占めており、一際目立つ集合住宅となっている。

12 Vista aèria del barri de la Ribera

Històricament, aquest barri d'origen medieval va ser el més actiu i emprenedor de Barcelona. Conserva l'antiga trama de carrers estrets, disposada a l'entorn de la protectora església de Santa Maria del Mar.

Aerial view of La Ribera district

Historically, this district of medieval origin was the most active and go-ahead of Barcelona. It still maintains its old network of narrow and tightly-knit streets that surround the protective church of Santa Maria del Mar.

リベラ地区の空からの眺め

中世に開かれたこの地区は、バルセロナの歴史において最も栄え、進んだ地区であった。サンタ・マリア・デル・マル守護教会周辺の細く入り組んだ路地はその名残である。

13 Museu d'Art Contemporani de Barcelona

La seu del popular MACBA, obra de l'arquitecte nord-americà Richard Meier, crida l'atenció per la seva arquitectura blanca i la seva lluminositat i transparència tan adients per a l'espai d'un museu.

The Museum of Contemporany Art of Barcelona

The headquarters for the popular MACBA, by the North American architect Richard Meier, stands out for its singular white architecture and for the luminosity and transparency so befitting a museum space.

バルセロナ現代美術館

バルセロナ現代美術館（MACBA）の建物は、アメリカ人建築家リチャード・メイヤーが手がけたもので、彼特有の真っ白な外観や、美術館に最適な採光性に富んだ明るい建物が非常に特徴的である。

14 Vista nocturna del Port Vell

Una de les zones més vives de la ciutat s'ha vist ampliada amb la incorporació d'una part del Port Vell. Un lloc idoni per a les passejades i la contemplació.

Night view of Port Vell

One of the liveliest areas of the city has been enlarged by the inclusion of part of Port Vell. An ideal spot for strolling and contemplation.

夜のポルト・ベル

バルセロナの街で最も活気のある地区が、ポルト・ベル周辺まで拡張された。この辺りは、考え事をしたり散歩をするのにぴったりの場所である。

15 Monument a Colom al port

Barcelona honora la memòria de Cristòfol Colom amb aquest monument del 1886, realitzat per l'arquitecte Gaietà Buigas, que presideix l'entrada a la ciutat des del mar.

Columbus monument in the port

Barcelona honours the memory of Christopher Columbus with this monument raised in1886, work of the architect Gaietà Buigas, which overlooks the entrance to the city by sea.

港のコロンブス記念碑

バルセロナが誇るクリストファー・コロンブスの記念碑は、1886年に建築家ガィエタ・ブイガスが建てたもので、海から街に続く入口を監視している。

16 Rambla de Mar

La transformació espectacular del Port Vell l'ha convertit en una zona comercial i de lleure ciutadà, el Maremàgnum, plena de cinemes, botigues i restaurants.

Rambla de Mar

The spectacular transformation of Port Vell has enabled the port to be turned into a commercial and leisure area with the Maremàgnum, full of cinemas, shops and restaurants.

ランブラ・デ・マル

ポルト・ベルの大規模な再開発によって、港周辺はマレマクヌンに代表されるような映画館、店舗、レストランが建ち並ぶ、ショッピング、アミューズメントゾーンとなった。

17 "Golondrina" navegant al port

Des de les "golondrines", que transporten els passatgers fins a l'escullera, es poden observar detalladament les activitats portuàries.

"Golondrina" pleasure-boat leaving the port

From the "golondrinas" or pleasure-boats that take passengers to the breakwater, the port activities can be seen close-up.

港を遊覧する「ゴロンドリーナ」

防波堤ブロックまでをクルージングする「ゴロンドリーナ」に乗ると、港の雰囲気が満喫できる。

18 Telefèric

El telefèric, que uneix la Torre de Sant Sebastià, a l'extrem del port, amb la muntanya de Montjuïc, és una forma insòlita de passeig que permet una esplèndida perspectiva sobre la ciutat.

Cable Car

Another unusual mode of transport that provides a splendid view over the city is the cable car that links the Torre de Sant Sebastià at the end of the port with the Montjuic mountain.

ロープウェー

ロープウェーに乗り込めば、バルセロナの素晴らしい街並みを見下ろしながらの空中散歩ができる。ロープウェーは、港のサン・セバスティア塔とモンジュイックの丘を結んでいる。

19 Panoràmica de la Rambla de Santa Mònica

Aquests darrers anys, la part baixa de la Rambla ha experimentat canvis importants amb l'establiment d'una part de les dependències de la Universitat Pompeu Fabra i el Centre d'Art Santa Mònica.

View of the Rambla de Santa Mònica

The lower part of La Rambla has undergone important changes in recent years with the establishment of part of the Universitat Pompeu Fabra and the Centre d'Art Santa Mònica.

サンタ・モニカのランブラス通り

ポンペウ・ファブラ大学の新しいキャンパスやサンタ・モニカ芸術センターの設立により、ランブラス通りの海に近い地区は、ここ数年で大きく変化した。

20 El cor de la ciutat medieval

El Mirador del rei Martí, que forma part de l'antic Palau Reial Major, assenyala el centre del Barri Gòtic. Al seu davant, en primer pla, la part superior del Palau del Lloctinent, del s. XVI.

The heart of the medieval city

The Mirador del Rei Martí, belonging to the ancient Palau Reial Major, marks the centre of the Barri Gòtic. Alongside it, in the foreground, the upper part of the 16th century Palau del Lloctinent.

中世のたたずまいを残す地区

パラウ・レィアル・マジョー（大王宮）にあるマルティ王の展望台が、ゴシック地区の中心である。その手前は、16 世紀に建てられたリョクティネント宮の屋上。

21 Claustre de la Catedral

Al claustre de la catedral, quatre galeries de volta de creueria i un senzill reixat de ferro delimiten el jardí interior. Les palmeres, les magnòlies, la remor de l'aigua de la font gòtica, la llum tamisada i la presència de les oques el converteixen en un dels llocs més bells de la ciutat.

Cathedral Cloister

Four cross-vaulted galleries with wrought iron railings encircle the inner garden. Palm trees and magnolias, the babbling water from the Gothic fountain, the filtered light and the presence of the geese make this one of the most beautiful spots of the city.

大聖堂の回廊

ボールド天井や鋳鉄製の柵で囲われた四本の回廊が、シュロや泰山木が茂る中庭をとりまく大聖堂の内部。ゴシック様式の噴水のせせらぎ、やわらかな光、庭を歩くガチョウたちが、街で最も美しい空間を生み出している。

22 Detall barroc del Palau Dalmases

L'escala d'honor del pati interior del Palau Dalmases és una obra mestra de l'escultura barroca catalana. Les columnes salomòniques estan ornades amb "putti", com el que hi veiem, i parres enroscades.

Baroque detail of the Palau Dalmases

The main stairway of the inner courtyard of the Palau Dalmases is a masterpiece of Catalan Baroque sculpture. The Solomonic columns are adorned with "putti", as we see here, and coiled vines.

パラウ・ダルマセスのバロック・ディテール

パラウ・ダルマセスの中庭の階段は、カタルーニャのバロック彫刻の傑作である。ねじれ円柱は、小天使「プッティ」や葡萄のつるの装飾が施されている。

23 Plaça del Pi

La plaça del Pi sempre ha estat una de les més estimades pels barcelonins. L'absència de trànsit augmenta encara més el seu encant i la converteix en punt obligat de confluència per als visitants del casc antic.

Plaça del Pi

The Plaça del Pi, one of the most loved squares by the people of Barcelona, is even more pleasant when you consider there is no traffic here. Sometimes quiet, sometimes a busy hive of activity, it is an absolute must for visitors to the Gothic Quarter.

ピ広場

ピ広場はバルセロナの人々にとって最も愛着のある場所の一つで、自動車両の進入もなくまさに魅力的な広場である。旧市街を訪れる者にとっては外すことのできない、静けさと雑踏が交互に訪れる場所である。

24 Botiga d'antiguitats

Al Barri Gòtic, les nombroses botigues d'antiquaris contribueixen amb la seva presència a l'ambientació i a l'encant dels seus carrers i places.

Antique shop

The presence of many antique shops in the Barri Gòtic contributes to the charm and atmosphere of the streets and squares.

骨董品店

ゴシック地区にはこのような骨董品店が多くあり、あたりの街並みに独特の雰囲気と魅力を作り出している。

25 Plaça Reial

La Plaça Reial té un aspecte de gràcil uniformitat perquè els edificis amb pòrtics que la delimiten respecten el disseny original de plaça tancada inspirada en l'urbanisme francès.
La font, els fanals dissenyats per Gaudí i les palmeres alegren una de les places de més caràcter de Barcelona.

Plaça Reial

The Plaça Reial offers this uniform aspect as all the porticoed buildings around it respect the original French design of a closed square.
The fountain, the street lamps designed by Gaudí and the palm trees enhance what is one of the most lively squares in the city.

レィアル広場

統一されたデザインのレィアル広場。この「建物に取り囲まれた広場」の設計はフランスの都市計画にヒントを得たものであり、柱廊付きの建物により統一された空間が作り出されている。噴水、ガウディがデザインした二つの街灯、シュロの木などがバルセロナで最も特徴的な広場を演出している。

26 La ciutat medieval

Els perfils de la Catedral, del Palau Reial Major i de la capella de Santa Àgata imposen la seva presència secular en la foscor de la nit. En aquest racó de les antigues muralles, el centre històric de la ciutat s'aixeca sobre les restes de la ciutat romana.

The medieval city

The profiles of the Cathedral, the Palau Reial Major and the chapel of Santa Àgueda mark their centuries-old presence in the darkness of the night. Barcelona's historic centre is raised over the Roman city in this corner of the ancient walled settlement.

中世の街

何世紀にもわたり、この場所に建ち続けている大聖堂、パラウ・レィアル・マジョー（大王宮）、サンタ・アゲダ礼拝堂。夜の暗闇の中で、その輪郭が浮かび上がる。このバルセロナ旧市街の中心は、ローマ時代の街の跡、古い城壁の片隅に位置する。

27 Castellers a la Plaça de Sant Jaume

A les diades de festa popular, com ara les de la Mercè, patrona de la ciutat, tenen lloc nombroses manifestacions en què les velles tradicions tenen un paper rellevant. Aquí veiem com es culmina un castell davant de l'Ajuntament.

"Castellers" in the Plaça de Sant Jaume

Old traditions play an important role during many popular festivals such as la Mercè, the patron saint of the city. Here we see how a "castell", or human tower, is successfully accomplished in front of the Town Hall.

サン・ジャウメ広場の「カステエリェールス」

街の守護聖人ラ・メルセーの祭礼に代表されるような大きな祭りの日には、様々な伝統行事が催される。写真は、市庁舎の前で「カステェーリュ（人間の塔）」を組む光景。

28 Rosassa de l'església del Pi

La rosassa de traç foliat de l'església de Santa Maria dels Reis, o del Pi, del segle XIV, es d'unes dimensions inusuals en l'arquitectura gòtica religiosa; es diu que és la més gran del món.

Rose window of the Església del Pi

The rose window of the 14th century Church of Santa Maria dels Reis (or del Pi), with its foliate design, has unusual dimensions for a work of religious Gothic architecture. It is said to be the largest in the world.

ピ教会のバラ窓

サンタ・マリア・ダルス・レィス教会、通称「ピ教会」（14 世紀）の葉模様トレサリーのバラ窓は、ゴシック様式の宗教建築の中でも比類なき大きさで、世界一とも言われている。

29 Detall de la façana de la Catedral

La façana de la catedral de Barcelona, projectada a finals del segle XIX, no es correspon històricament amb l'edifici, construït entre els segles XIII i XV, tot i que segueix amb fidelitat el dibuix gòtic, datat el 1408, que hom conserva a l'arxiu catedralici.

Detail of Cathedral façade

The 19th century façade does not tally with the rest of the Cathedral, built between the 13th and 15th centuries. It does, however, correspond to the original Gothic plans, dated 1408, that are preserved in the Cathedral archives.

大聖堂のファサード

このファサードは、古文書館に保存されていた 1408 年のゴシック建築の図面に忠実に従って 19 世紀に造られたものであるが、13 世紀から 14 世紀にかけて建てられた大聖堂の他の部分との調和は見られない。

30 La Boqueria

Al trajecte per la Rambla, cal fer una parada per endinsar-nos al mercat de la Boqueria, que és com penetrar al regne de l'aroma i del color, i també de les suggeridores formes i textures de les viandes.

The Boqueria market

The route along La Rambla deserves an obligatory stop-off to enter into La Boqueria market, which is to penetrate into the kingdom of aromas and colours and of the suggestive forms and textures of the foods on display.

ボケリア市場

ランブラス通りを散歩するなら、ボケリア市場には是非立ち寄ってみたい。一歩足を踏み入れると、そこは種々雑多な食料品が織りなす香りと色彩の宝庫である。

31 Drac de la casa Bruno Quadros

El drac xinès que pertany a l'edifici orientalista de Josep Vilaseca, al Pla de la Boqueria, s'agermana amb els nombrosos dracs escampats per tota la geografia urbana barcelonina.

Dragon on the Casa Bruno Quadros

The Chinese dragon protruding from Josep Vilaseca's oriental style building in the Pla de la Boqueria is brother to the many dragons that are dispersed all over the city.

ブルーノ・クゥアドロス邸の龍

ボケリア広場にあるジュゼップ・ヴィラセカのオリエンタル調建物に配された中国龍。この龍は、バルセロナのあらゆる場所で見られるドラゴンと調和している。

32 Museu d'Història de la Ciutat

El subsòl del conjunt monumental de la plaça del Rei conserva les restes arqueològiques de la ciutat romana des del segle I. Poc a poc es desvetllen els misteris de l'antiga Barcino.

The City History Museum

The subsoil of the monuments inhabiting the Plaça del Rei preserve the archaeological remains of the Roman city dating from the 1st century AC. Little by little, the mysteries of the ancient city of Barcino are being unwrapped.

バルセロナ歴史博物館

レイ広場周辺の地中には、紀元前1世紀のローマ時代の遺跡が残されており、古代バルシーノの謎が徐々に解き明かされ始めた。

33 Pont gòtic del carrer del Bisbe

Tot i ésser de construcció moderna, el pont que uneix el Palau de la Generalitat amb les antigues Cases dels Canonges, accentua la coherència d'aquesta part del Barri Gòtic, propera a la plaça de Sant Jaume.

Gothic bridge in Carrer del Bisbe

Although of more recent construction, the bridge joining the Palau de la Generalitat and the old Cases dels Canonges emphasises the coherence of this part of the Barri Gòtic, close to the Plaça de Sant Jaume.

ビスベ通りのゴシック様式の橋

カタルーニャ州政府庁舎とカゼス・ダルス・カノンジェス（聖堂参事会委員館）を結ぶ橋は、比較的新しく建築されたものであるが、サン・ジャウメ広場に隣接するゴシック地区の統一された美しさを一層際立たせている。

34 Ball de gegants

Els gegants de la ciutat animen totes les celebracions populars de caràcter tradicional.

Dance of the Giants

All the popular festivals of a traditional nature are livened up by the participation of the city's giants.

ジャガンツの踊り

伝統的で有名な祭には、必ずと言っていいほど街のジャガンツ（巨人）が登場し、祭を盛り上げる。

35 Bústia de la Casa de l'Ardiaca

Els orígens de la Casa de l'Ardiaca es troben al segle XII, tot i que el conjunt actual és fruit de les reformes del segle XVI. La bústia de marbre, amb els motius simbòlics del vol dels ocells i el pas de la tortuga, és una obra de començament del segle XX de Domènech i Montaner.

Letterbox in the Casa de l'Ardiaca

The origins of the Casa de l'Ardiaca are to be found in the 12th century, but what we see today is the result of the 16th century renovation. The marble letterbox, decorated with symbolic motifs of flying birds and the tortoise, was designed by Domènech i Montaner in the early 20th century.

カザ・ダ・ラルディアカの郵便受け

12世紀に建てられたカザ・ダ・ラルディアカ（大助祭の館）は、16世紀に現在の形に改築された。羽ばたく鳥や亀の装飾が施された大理石製の郵便受けは、20世紀初めにドゥメネク・イ・ムンタネルによって設計されたものである。

36 Pati del Palau Dalmases

La reforma, al segle XVII, d'un antic palau dels segle XV prengué forma al que avui és el Palau Dalmases, amb una esplèndida escala barroca porticada al seu pati interior. Actualment és la seu d'Òmnium Cultural, una entitat promotora de la cultura catalana.

Courtyard of the Palau Dalmases

The renovation of a 15th century palace gave rise to the 17th century Palau Dalmases whose inner courtyard contains the remarkable Baroque stairway with porches.
Today the palace houses the Omnium Cultural, an organisation promoting Catalan culture.

パラウ・ダルマセスの中庭

15世紀に建てられた古い館を17世紀になって改築したのが、現在のパラウ・ダルマセスであり、中庭の柱廊付きバロック風階段は圧巻である。ここは現在、カタルーニャ文化推進団体のオムニウム・クルトゥラルの本部となっている。

37 Interior de Santa Maria del Mar

La basílica de Santa Maria del Mar, del segle XIV, incorpora les millors característiques i proporcions del gòtic català. Aquest temple esdevingué el nou centre espiritual d'un barri de mercaders i armadors entestats en l'expansió comercial pel Mediterrani.

Interior of Santa Maria del Mar

The 14th century basilica of Santa Maria del Mar brings together the finest features and proportions of Catalan Gothic architecture. This church became the new spiritual centre of a district of merchants and shipowners keen to expand their activity across the Mediterranean.

サンタ・マリア・デル・マル教会の内部

サンタ・マリア・デル・マル教会堂（14世紀）には、カタルーニャ・ゴシックの粋が集められている。この教会は、地中海への進出に夢を抱いた商人や船主の住む地区の精神的拠り所となった。

38 Màgia i poesia a les botigues

Arreu de la ciutat antiga, hi podem trobar botigues carregades d'història, d'encant i de poesia; establiments que han estat i que encara són artífexs de bona part del caràcter d'un barri.

Magic and poetry in the shops

Throughout the old part of the city, one comes across shops that are full of history, charm and poetry. These shops have formed an integral part of the district's character and personality.

魅力や詩情に満ちた店々

旧市街のあちこちに歴史の重みが感じられる、魅力的で洒落た店がある。この地区には、今も昔と変わらず芸術の雰囲気が漂っている。

39 Menjador del Hotel España

Domènech i Montaner decorà aquest menjador en ple apogeu del modernisme. Els motius marins acompanyen les delicades sirenes a les pintures de les parets i, a l'arrambador, que es de fusta i ceràmica, s'hi reprodueixen els escuts dels antics regnes i ciutats d'Espanya.

Dining room of the Hotel España

Domènech i Montaner decorated this dining room during the Modernist movement's age of splendour. The marine motifs accompany the delicate nymphs in the wall paintings, and along the wainscot, made from wood and ceramics, different Spanish coats of arms are reproduced.

エスパーニャ・ホテルのレストラン

ドゥメネク・イ・ムンタネルがモデルニスモの絶頂期に装飾を施したレストラン。海のモチーフや華奢な人魚たちが壁に描かれている。壁の下部に組まれた木枠の間には、セラミック製のスペインの昔の王国、属国、都市の紋章がはめ込まれている。

40 Gran Teatre del Liceu

La reconstrucció del Gran Teatre del Liceu ha estat una de les prioritats culturals dels darrers anys. El resultat, d'una sorprenent fidelitat a l'original, ha permès reproduir-hi les excepcionals condicions acústiques i reprendre-hi l'activitat operística, tan representativa de la ciutat.

Gran Teatre del Liceu

The rebuilding of the Liceu was one of the most pressing cultural priorities of recent years. The result, incredibly loyal to its predecessor, means that the fantastic acoustic conditions have been reproduced and opera can once again be staged, an activity so representative of the city.

リセウ大劇場

ここ数年、バルセロナで最も急を要し優先的に取り組まれた文化的課題はリセウ大劇場の再建築であった。非常に忠実に再建されたこの劇場には、かつての並外れた音響効果も再現され、バルセロナの象徴とも言えるオペラも再び上演されるようになった。

41 Esports urbans

El grau d'acceptació popular de tota classe de convocatòries esportives obertes no fa altre cosa que créixer entre els barcelonins. Els escenaris urbans acullen una i una altra vegada els entusiastes participants.

Sport in the city

The tremendous popularity of all types of open sporting events has grown and grown amongst the inhabitants of Barcelona. The urban settings play host to the enthusiastic participants time and time again.

大都市でのスポーツ

バルセロナでは様々なスポーツゲームが行われ、市民に親しまれている。この大都市で行われるスポーツゲームは、そのたびにファンを魅了する。

42 Platges

La reordenació del front marítim ha permès guanyar una nova franja de platges, com la d'Icària, el Bogatell o la Mar Bella, que s'estén fins a la desembocadura del riu Besòs.

Beaches

The reorganisation of the seafront has enabled the city to gain a new coastal area of beaches that extend as far as the mouth of the river Besòs, such as those of Icària, Bogatell or Mar Bella.

ビーチ周辺

ウォーター・フロント地区の再開発により、ベソス川の河口周辺まで新しいビーチが広がり、イカリアやボガテル、マルベージャのビーチのようになった。

43 Plaça Rovira i Trias

El barri de Gràcia perpetua amb aquest monument la figura de l'arquitecte i urbanista Antoni Rovira i Trias, guanyador del concurs per a l'Eixample de Barcelona, que després fou adjudicat a Ildefons Cerdà.

Plaça Rovira i Trias

With this monument, the Gràcia district pays homage to the figure of Antoni Rovira i Trias, architect and urban planner who won the competition to build the Eixample district of Barcelona which was later awarded to Ildefons Cerdà.

ロビラ・イ・トゥリアス広場

グラシア地区を代表するアントーニ・ロビラ・イ・トゥリアス像。建築家、都市設計家であった彼は、バルセロナのエシャンプレ計画のコンクールで優勝したが、結局イルデフォンス・セルダーの計画が採用されることとなった。

44 Instantànies ciutadanes

Espais lúdics, locals tradicionals, omnipresència del trànsit rodat...
Entre aquestes i moltes altres situacions transcorre la vida dels barcelonins.

City snapshots

Leisure spaces, traditional spots, the ever present motorised traffic.
Among these and many other situations, inhabitants of Barcelona live their daily lives.

街角のスナップ

アミューズメント施設、伝統が息づく地区、車の波・・・様々な顔を見せる街に生きるバルセロナ市民。

45 Esgrafiats de Picasso

Els grans frisos esgrafiats dissenyats per Pablo Picasso per al Col·legi d'Arquitectes a la plaça Nova, presideixen la gran explanada del davant de la catedral, en ple centre històric de la ciutat.

Graffito friezes by Picasso

The large graffito friezes, designed by Pablo Picasso for the Architect's School in the Plaça Nova, overlook the grand esplanade facing the Cathedral, right in the historic centre of the city.

ピカソの掻き絵フリーズ

ピカソは、バルセロナ旧市街の中心部、ノバ広場にあるバルセロナ建築学校のために大きな掻き絵フリーズをデザインし、これは大聖堂正面の巨大な斜堤に掲げられている。

46 *Cap de Barcelona*

Dins del seu peculiar estil, vinculat al Pop Art, el pintor nord-americà Roy Lichtenstein concebé aquesta escultura especialment per a Barcelona i per a l'indret on està situada, un dels extrems del Moll de la Fusta.

Cap de Barcelona

The North American painter Roy Lichtenstein designed this sculpture specially for Barcelona and situated at one of the ends of Moll de la Fusta, within his unique Pop Art style.

「カップ・ダ・バルセロナ」

アメリカ人画家ロイ・リヒテンスタイン独特のスタイルがポップアートに結び付いた彫刻作品。バルセロナのために特別に創作され、モリュ・ダ・ラ・フスタの片隅に設置されている。

47 Pa amb tomàquet

A qualsevol hora, sol o acompanyat, el pa amb tomàquet és un plat saborós. Entre tots els plats típics de la cuina catalana, no n'hi cap de tan popular.

"Pa amb tomàquet"

At all hours, on its own or accompanied, "pa amb tomàquet", bread and tomato, is a delicious dish. No typical Catalan dish can compare with its popularity.

「パ・アム・トマカッツ」

最もポピュラーなカタルーニャ料理といえば、「パ・アム・トマカッツ」。それだけでも、他の料理と一緒に食べても、何時に食べても美味しい一品。

48 Galera Reial del Museu Marítim

El Museu Marítim, situat a les drassanes del segle XIV, és una crònica viva del passat marítim de la ciutat. La Galera Reial de Joan d'Àustria, capità general a la batalla de Lepant, ha estat reproduïda al mateix lloc on fou bastida al segle XVI.

Royal Galley of the Museu Marítim

The Maritime Museum, situated in the 14th century Drassanes, or arsenal, next to the port, is a living chronicle of the city's naval past. The Royal Galley of Juan of Austria, Admiral of the Fleet at the Battle of Lepant, was reproduced in the same dockyards as the 16th century original.

海洋博物館の王室ガレー船

14 世紀に建設された造船所跡にある、港に隣接する海洋博物館。ここでは海洋都市として繁栄した当時の雰囲気が満喫できる。レパントの海戦の総指揮官であったファン・デ・アウストゥリアが乗った王室ガレー船の模型が、16 世紀の建造時は造船所であったこの博物館に展示されている。

49 Centre de Cultura Contemporània

El Centre de Cultura Contemporània de Barcelona (CCCB), obra dels arquitectes Helio Piñón i Marc Viaplana i situat a l'antiga Casa de la Caritat, ha estat concebut com un centre multidisciplinari, i registra una important activitat cultural.

The Contemporany Culture Centre

The Contemporany Culture Centre of Barcelona (CCCB), situated in the old Casa de la Caritat, was designed by the architects Helio Piñón and Marc Viaplana, and designed as a multidisciplinary centre and among those that play host to a high level of cultural activity.

バルセロナ現代文化センター（CCCB）

建築家エリオ・ピニョンとマルク・ビアプラナの手による古い建築物、カザ・ダ・ラ・カリタット内にあるバルセロナ現代文化センターは、多種多様な教育を促進するセンターで、様々な文化的活動が行われている。

50 *Dona i Ocell*, de Joan Miró

Aquesta superba escultura presideix el parc Joan Miró o de l'Escorxador, a la vora del recinte de Montjuïc. Els motius temàtics es complementen amb els colors més representatius de l'autor.

Woman and bird by Joan Miró

The *Dona i Ocell* (woman and bird) sculpture overlooks the Parc Joan Miró, or the Escorxador, nearby the Montjuïc area. The thematic motifs and typical colours used by the artist combine in this superb sculpture.

ジョアン・ミロの「ドナ・イ・ウセル」

モンジュイックの丘に近いジョアン・ミロ公園（またはエスクルシャドー公園とも呼ばれる）にある、「ドナ・イ・ウセル（女性と鳥）」のモニュメント。巨大オブジェのミロ独特の色彩自体が、この作品のテーマである。

51 Columnata del Palau de la Música

L'ornamentació característica del modernisme és omnipresent en aquest edifici de Domènech i Montaner. Aquí veiem un conjunt de motius florals geomètrics a les columnes de la terrassa que envolta la sala Lluís Millet.

Colonnade in the Palau de la Música

The characteristic ornamentation of Modernist decoration is omnipresent in this building by Domènech i Montaner, such as the floral and geometrical motifs on the colonnade of the balcony encircling the Lluís Millet room.

カタルーニャ音楽堂の柱廊

ドゥメネク・イ・ムンタネルの手によるこの建物には、あらゆる箇所にモデルニスモ装飾が散りばめられている。写真は、リュイス・ミリェーの間を囲むテラスの柱に施された花模様や幾何学模様の装飾。

52 Palau de la Música Catalana

La façana del Palau de la Música, d'una força expressiva i simbòlica aclaparadores, és fruit d'una concepció que integra arquitectura, escultura i arts decoratives. La reforma i l'ampliació es realitzen segons el projecte de l'arquitecte Òscar Tusquets.

Palau de la Música Catalana

The facade of the Palau de la Música reaches overwhelming expressive and symbolic heights, the result of a concept that combines architecture, sculpture and the decorative arts. The reforms and extension are carrying out according to the project of the architect Óscar Tusquets.

カタルーニャ音楽堂

カタルーニャ音楽堂のファサードには、くどいまでの表現力とシンボリズムが用いられ、このコンセプトは建築物や彫刻など作品全体に統一されている。近年の改修、拡張工事では、建築家オスカル・トゥスケッツの計画が実現された。

53 Racó de l'Eixample.

L'arquitectura modernista apareix a qualsevol racó de l'Eixample, com en aquesta perspectiva de la Diagonal dominada per l'edifici neogòtic de Puig i Cadafalch, la casa Terrades, denominada popularment "casa de les Punxes".

Corner of the Eixample.

Modernist architecture explodes on any corner of the Eixample district, as shown by this view of the Diagonal dominated by the neo-gothic building by Puig i Cadafalch, the Casa Terrades, Popularly known as "les Punxes".

エシャンプレの片隅

エシャンプレではあらゆる片隅でモデルニスモ建築物に遭遇することができる。写真は、ディアゴナルにあるプッチ・イ・カダファルクのネオ・ゴシック作品、カザ・テラデスで、一般に「ラス・プンシャス」と呼ばれている。

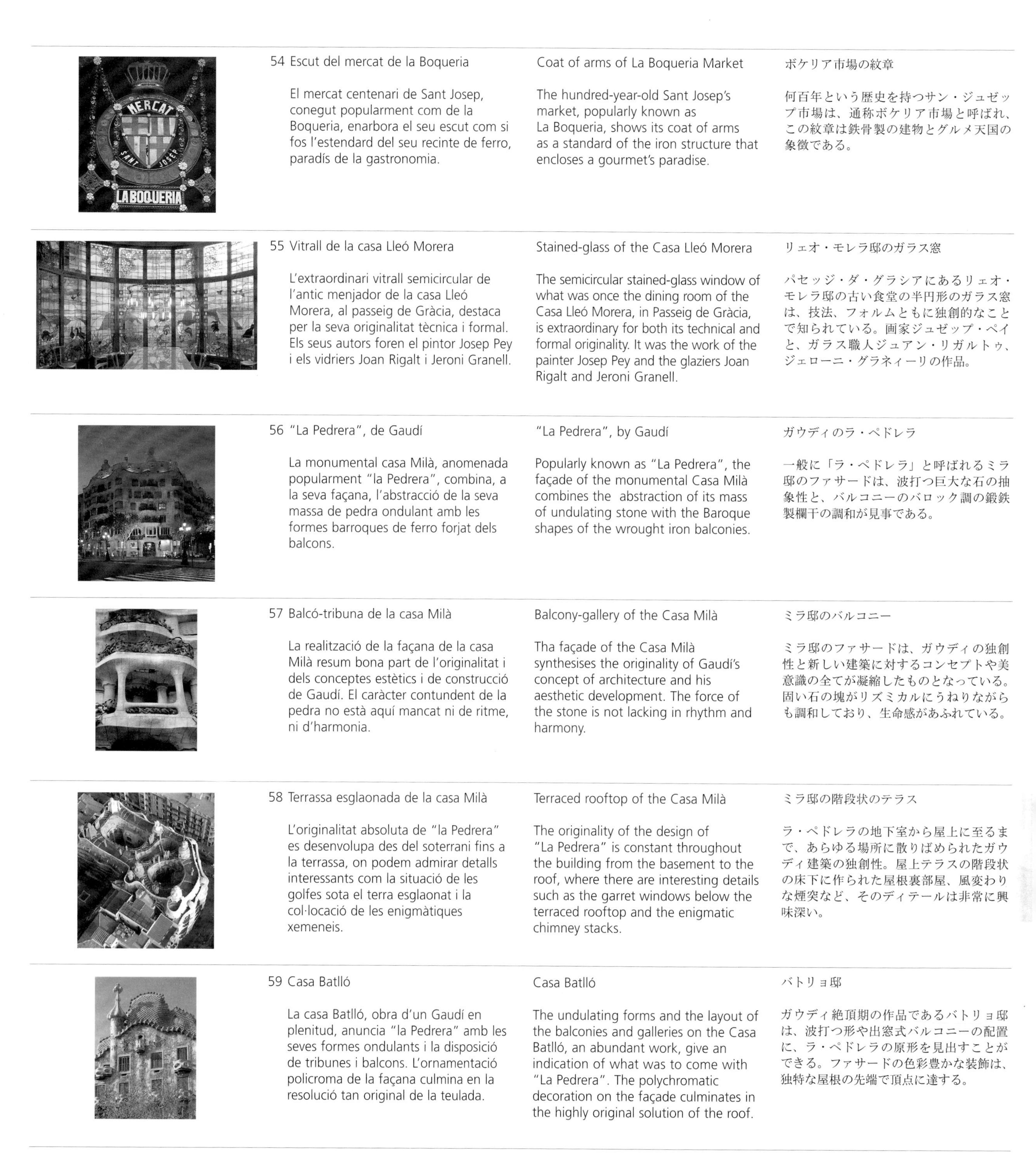

54 Escut del mercat de la Boqueria

El mercat centenari de Sant Josep, conegut popularment com de la Boqueria, enarbora el seu escut com si fos l'estendard del seu recinte de ferro, paradís de la gastronomia.

Coat of arms of La Boqueria Market

The hundred-year-old Sant Josep's market, popularly known as La Boqueria, shows its coat of arms as a standard of the iron structure that encloses a gourmet's paradise.

ボケリア市場の紋章

何百年という歴史を持つサン・ジュゼップ市場は、通称ボケリア市場と呼ばれ、この紋章は鉄骨製の建物とグルメ天国の象徴である。

55 Vitrall de la casa Lleó Morera

L'extraordinari vitrall semicircular de l'antic menjador de la casa Lleó Morera, al passeig de Gràcia, destaca per la seva originalitat tècnica i formal. Els seus autors foren el pintor Josep Pey i els vidriers Joan Rigalt i Jeroni Granell.

Stained-glass of the Casa Lleó Morera

The semicircular stained-glass window of what was once the dining room of the Casa Lleó Morera, in Passeig de Gràcia, is extraordinary for both its technical and formal originality. It was the work of the painter Josep Pey and the glaziers Joan Rigalt and Jeroni Granell.

リェオ・モレラ邸のガラス窓

パセッジ・ダ・グラシアにあるリェオ・モレラ邸の古い食堂の半円形のガラス窓は、技法、フォルムともに独創的なことで知られている。画家ジュゼップ・ペイと、ガラス職人ジュアン・リガルトゥ、ジェローニ・グラネィーリの作品。

56 "La Pedrera", de Gaudí

La monumental casa Milà, anomenada popularment "la Pedrera", combina, a la seva façana, l'abstracció de la seva massa de pedra ondulant amb les formes barroques de ferro forjat dels balcons.

"La Pedrera", by Gaudí

Popularly known as "La Pedrera", the façade of the monumental Casa Milà combines the abstraction of its mass of undulating stone with the Baroque shapes of the wrought iron balconies.

ガウディのラ・ペドレラ

一般に「ラ・ペドレラ」と呼ばれるミラ邸のファサードは、波打つ巨大な石の抽象性と、バルコニーのバロック調の鍛鉄製欄干の調和が見事である。

57 Balcó-tribuna de la casa Milà

La realització de la façana de la casa Milà resum bona part de l'originalitat i dels conceptes estètics i de construcció de Gaudí. El caràcter contundent de la pedra no està aquí mancat ni de ritme, ni d'harmonia.

Balcony-gallery of the Casa Milà

Tha façade of the Casa Milà synthesises the originality of Gaudí's concept of architecture and his aesthetic development. The force of the stone is not lacking in rhythm and harmony.

ミラ邸のバルコニー

ミラ邸のファサードは、ガウディの独創性と新しい建築に対するコンセプトや美意識の全てが凝縮したものとなっている。固い石の塊がリズミカルにうねりながらも調和しており、生命感があふれている。

58 Terrassa esglaonada de la casa Milà

L'originalitat absoluta de "la Pedrera" es desenvolupa des del soterrani fins a la terrassa, on podem admirar detalls interessants com la situació de les golfes sota el terra esglaonat i la col·locació de les enigmàtiques xemeneis.

Terraced rooftop of the Casa Milà

The originality of the design of "La Pedrera" is constant throughout the building from the basement to the roof, where there are interesting details such as the garret windows below the terraced rooftop and the enigmatic chimney stacks.

ミラ邸の階段状のテラス

ラ・ペドレラの地下室から屋上に至るまで、あらゆる場所に散りばめられたガウディ建築の独創性。屋上テラスの階段状の床下に作られた屋根裏部屋、風変わりな煙突など、そのディテールは非常に興味深い。

59 Casa Batlló

La casa Batlló, obra d'un Gaudí en plenitud, anuncia "la Pedrera" amb les seves formes ondulants i la disposició de tribunes i balcons. L'ornamentació policroma de la façana culmina en la resolució tan original de la teulada.

Casa Batlló

The undulating forms and the layout of the balconies and galleries on the Casa Batlló, an abundant work, give an indication of what was to come with "La Pedrera". The polychromatic decoration on the façade culminates in the highly original solution of the roof.

バトリョ邸

ガウディ絶頂期の作品であるバトリョ邸は、波打つ形や出窓式バルコニーの配置に、ラ・ペドレラの原形を見出すことができる。ファサードの色彩豊かな装飾は、独特な屋根の先端で頂点に達する。

60 Xemeneies de la casa Batlló

El grup de xemeneies policromes de la casa Batlló és encara un altre detall de la importància que l'arquitecte concedia a la part superior dels edificis.

Chimneys on the Casa Batlló

The group of polychrome chimneys on the Casa Batlló is a mark of the importance Gaudí gave to the upper part of the building.

バトリョ邸の煙突

ガウディは、屋上にあるバトリョ邸の色鮮やかな煙突群に、この建物の重要なポイントの一つをおいた。

61 Interior de la casa Batlló

L'escala d'honor de la casa Batlló, de fusta de roure i forma sinuosa, donava accés al rebedor de la planta noble de l'edifici, al primer pis.

Interior of the Casa Batlló

The main stairway of the Casa Batlló, in curving oak, led to the reception of the building's main floor, on the first floor.

バトリョ邸内部

バトリョ邸の主階段はオーク製で、カーブを描きながら主階（2階）ホールへと続いている。

62 Casa Amatller

La inspiració neogòtica domina en l'execució de la casa Amatller, obra de Puig i Cadafalch, en la part superior de la qual s'utilitzà ceràmica policroma per guarnir el coronament esglaonat.

Casa Amatller

Neo-gothic inspiration dominates the realisation of the Casa Amatller, a work by Puig i Cadafalch, polychrome ceramics being employed for the upper part to adorn the staggered top.

アマトリェル邸

プッチ・イ・カダファルクの作品であるアマトリェル邸は、ネオ・ゴシック建築。階段状の切妻部分先端は彩色タイルで飾られている。

63 Detalls modernistes

El modernisme català suposà l'aflorament de les arts aplicades i de les tècniques artesanals. A tots els projectes arquitectònics hi havia lloc per als treballs d'ebenisteria, forja, vidrieria, ceràmica, etc.

Modernist details

Applied arts and handicrafts flourished during the Catalan Modernist period. All architectural projects gave space to cabinet-making, wrought ironwork, glazing, ceramics, etc.

モデルニスモの街並み

幅広い芸術の分野と職人の伝統工法に花開くカタルーニャ・モデルニスモ。全ての建築プロジェクトには、家具、鍛冶、ガラス、セラミックなどの工房での作業が組み込まれていた。

64 Arc de Triomf

Situat a la part baixa del passeig de Sant Joan, l'Arc de triomf fou pensat per Josep Vilaseca com a porta d'accés monumental a l'Exposició Universal de 1888, celebrada al recinte del parc de la Ciutadella.

Triumphal Arch

The Triumphal arch, situated at the lower end of Passeig Sant Joan, was designed by Josep Vilaseca as the gateway to the Universal Exhibition of 1888 held in Parc de la Ciutadella. The brick facade is influenced by Mudejar architecture.

凱旋門

パセッジ・ダ・サン・ジョアン通りを下ったところにある凱旋門。ジュゼップ・ヴィラセカが、1888年にシウタデリャ公園で開催された万国博覧会の正面玄関として設計した記念碑で、模造レンガの採用はムデハル建築から着想を得たものである。

65 Panoràmica aèria de la Sagrada Família

Des del seu enclavament a l'Eixample, la Sagrada Família és el símbol inconfusible de Barcelona arreu del món. Gaudí hi dedicà la major part de la seva vida, sense poder-la acabar.

Aerial view of the Sagrada Família

The Temple of the Sagrada Família, located in the Eixample district, is the unmistakable symbol of Barcelona across the world. Antoni Gaudí devoted most of his life's work to the project, but was unable to see it completed.

サグラダ・ファミリアのパノラマ

エシャンプレにあるサグラダ・ファミリア教会は、今ではすっかりバルセロナのシンボルとなっている。ガウディはこの教会の建築に生涯の大半を費やしたが、その完成を見ることはできなかった。

66 Detall de la façana del Naixement

De les tres façanes que tindrà la Sagrada Família, aquesta és l'única en què Gaudí treballà. Hi destaca l'ornamentació naturalista exuberant, amb grups escultòrics, animals, plantes i altres elements de simbologia cristiana.

Detail of the Nativity façade

Of the three façades that will form the completed Sagrada Família, this is the only one to be finished in Gaudí's lifetime. Of special mention is the lush naturalist ornamentation, with sculptures, animals, plants and other elements with Christian symbolism.

生誕のファサードのディテール

サグラダ・ファミリア寺院の三つのファサードのうち、ガウディが直接手がけたのはこのファサードだけである。動物や植物などの彫刻群と、キリスト教に関連した彫像による自然主義的装飾が見事である。

67 Pont entre dues torres

Cal accedir a l'interior de la façana del Naixement per tenir un contacte més directe i emotiu amb aquesta obra capital de Gaudí, resum de tot el seu talent arquitectònic.

Bridge between two spires

Going inside the Nativity façade provides a more direct and emotive contact with Gaudí's masterpiece, the summary of all his architectural genius.

二本の鐘楼を結ぶ橋

生誕のファサードの中に入ると、ガウディの建築家として才能を余すところなく集めた傑作を、より近く、感動的に感じ取ることができる。

68 Detalls de la Sagrada Família

La riquesa i varietat de detalls del conjunt de la Sagrada Família se'ns ofereix com si d'un joc de descoberta es tractés. Així, el detall de la façana del Naixement, l'escala helicoïdal de l'interior d'una torre, l'ornamentació d'un dels pinacles o el relleu de la clau de volta de la cripta.

Details of the Sagrada Família

The rich assortment of details of the Sagrada Família is like a veritable treasure trove of discoveries, such as this detail of the Nativity façade, the helicoid stairway inside a spire, the ornamentation of one of the pinnacles or the relief on the crypt keystone.

サグラダ・ファミリアのディテール

生誕のファサードの細部装飾、鐘楼内部にある螺旋階段、小尖塔の装飾、地下礼拝堂の要石の浮き彫りなど、サグラダ・ファミリア全体に施された多種多様な装飾はまるで発見ゲームのようである。

69 Interior de la Sagrada Família

A mesura que es van completant les espectaculars columnes estriades i ramificades, clarament arborescents, es percep millor com serà l'interior del temple.

Interior of the Sagrada Família

The culmination of the inside of the temple becomes ever clearer as the spectacular stretching and ramified columns reach the top, with their obvious arboreal inspiration.

サグラダ・ファミリア内部

寺院内部の樹木状の円柱が、枝分かれし、伸びていくように建設されるに従い、内部の最上部の姿が徐々に明らかになり始めた。

70 Façana de la Passió

L'execució dels grups escultòrics de la façana de la Passió, que il·lustren els darrers dies de la vida de Crist, ha estat encarregada a l'escultor Josep Maria Subirachs.

Façade of the Passion

The completion of the sculptural groups on the façade of the Passion, which illustrate the last days of Christ's life, were entrusted to the Catalan sculptor Josep Maria Subirachs.

受難のファサード

キリストの人生最後の数日の様子を再現した受難のファサードの彫刻群は、カタルーニャ人彫刻家ジュゼップ・マリア・スビラクスに任された。

71 Drac de l'escalinata del Park Güell

El drac situat a la doble escalinata d'accés al Park Güell ha esdevingut un dels símbols del parc. La interpretació mitològica li atorga el paper de protector de les aigües subterrànies.

Dragon on the stairway of Park Güell

The dragon decorating the double stairway at the main entrance to Park Güell has become one of the park's identifying symbols. It represents the mythological guardian of the subterranean waters.

グエル公園の正面階段のドラゴン

グエル公園の正面階段に配されたドラゴンは、今や公園のシンボルの一つである。神話にちなんで、ドラゴンは地下水の守護者となっている。

72 Un parc protegit per la UNESCO

Influenciat per les idees dels reformistes socials anglesos de finals segle XIX, Eusebi Güell encarregà a Gaudí un projecte de ciutat-jardí residencial. Les obres tingueren lloc entre els anys 1900 i 1914, i el 1984 va ser declarat per la UNESCO Patrimoni de la Humanitat.

A park protected by UNESCO

Eusebi Güell, influenced by the ideology of English social reformers, commissioned Gaudí to create a project for a residential garden city. The work was carried out between 1900 and 1914, and in 1984 it was declared a World Heritage Site by UNESCO.

ユネスコ保護下の公園

19世紀末のイギリスの社会改革思想の影響を受けたエウセビ・グエルは、ガウディに庭園都市の設計を依頼した。1900年から1914年にかけて工事が行われ、1984年にはユネスコの世界文化遺産に指定された。

73 Banc de la plaça del Park Güell

Gairebé sempre la gent omple de vida aquest banc ondulat que delimita la gran plaça-mirador del Park Güell. La seva secció, obtinguda del perfil ergonòmic d'una persona asseguda, i la seva disposició en meandres fan que sigui idoni per acollir la típica tertúlia mediterrània.

Serpentine bench in Park Güell

The undulating bench that marks the boundary of the open square-panoramic viewpoint is usually full of the hurly-burly of life. Its layout, obtained from the profile of a person sitting down and the meandering semicircular recesses, make it the perfect spot for the typical Mediterranean pastime of sitting around chatting.

グエル公園の広場のベンチ

グエル公園の大きな展望広場を縁取る波形のベンチは、いつも人々の活気や喧噪でにぎわっている。実際に人を座らせて型取ったという曲がりくねったベンチは、地中海のまばゆい陽光の中、出会いやおしゃべりの時を過ごすのに理想的な場所である。

74 Galeria amb pòrtics del Park Güell

Les columnes inclinades i el mur de contenció d'aquesta galeria segueixen el pendent natural del terreny i s'enllacen formant una volta de canó.

Porched arcade in Park Güell

The oblique columns and retaining walls of the long arcade follow the natural slope of the land and form a barrel vault where they meet.

グエル公園の回廊

傾いた円柱と擁壁は、自然な傾斜状の土地を半円筒ボールトを形作りながら延々と続いている。

75 Pavelló del Park Güell

El pavelló de serveis de l'entrada del Park Güell té una cúpula de tons clars que contrasta amb la pedra ocre de les façanes. Un mirador circular amb una barana amb merlets corona la part superior de la cúpula.

Pavilion in Park Güell

The lodge pavilion in Park Güell, located at the entrance, has a dome in light shades that contrasts with the ochre stone of the walls. A circular viewpoint with a crenelated rail crowns the upper part of the dome.

グエル公園入口の建物

グエル公園入口にある守衛小屋の丸屋根の明るい色彩と、壁石のオークルは対照的である。丸屋根の上部には、鋸壁形の手すりのついた円形展望台がある。

76 Jardins del Park Güell

El Park Güell és l'obra urbanística més completa i representativa de Gaudí, la seva aportació més específica al moviment modernista, amb un evident distanciament de qualsevol referència als estils històrics. En conjunt, hi destaca l'harmonització entre els elements geològics i vegetals.

Gardens in Park Güell

This is the most complete and representative of all Gaudí's planning projects. The movement away from past styles is obvious in this work, his most specific contribution to the development of Modernism. The harmony achieved between stonework and vegetation is particularly outstanding.

グエル公園の庭園

グエル公園はガウディ作品の中でも最も完成度が高く、代表的な都市計画作品であり、伝統的な様式とは明らかに距離を保った独特のモデルニスモが花開いている。公園内では、この土地の要素と植物的要素が素晴らしい調和を見せている。

77 Columnata dòrica del Park Güell

86 columnes dòriques sostenen una part de la gran plaça del parc. Aquest espai havia d'acollir el mercat de la ciutat-jardí. El mosaic que revesteix el sostre alterna amb plafons policroms projectats per Jujol, segons les directrius de Gaudí.

Doric colonnade in Park Güell

This hall of eighty-six Doric columns supporting part of the upper square was destined to be used as the marketplace. The glass mosaic covering the ceiling alternates with polychrome decorative ceiling roses and motifs designed by the architect Jujol, following Gaudí's guidelines.

グエル公園のドーリス式柱廊

86本のドーリス式円柱が、柱廊の上にある広場を支えている。この空間は、庭園都市の市場として作られた。天井は光沢あるモザイクで覆われ、色鮮やかなばら装飾や装飾モチーフが配されている。この装飾はガウディの指示のもと、ジュジョルが手がけたものである。

78 Casa Vicens

La casa que Gaudí construí per al ceramista Manuel Vicens el 1878 es considera la seva primera obra important. Destaca per la seva concepció volumètrica, l'ús dels materials i la policromia del revestiment ceràmic.

Casa Vicens

The house Gaudí built for the ceramist Manuel Vicens in 1878 is considered as his first major work. It stands out for its volumetric conception, the use of materials and the colouring of the ceramic-tiled decoration.

ビセンス邸

1878年、ガウディが陶器製造者マヌエル・ビセンスのために建築した、彼の初めての主要作品。体積測定という概念や、様々な素材の採用、色鮮やかな陶器製の外装材などが特徴的である。

79 Museu de Zoologia vist des de l'Hivernacle

Entre els edificis singulars del parc de la Ciutadella es troben l'Hivernacle, obra de Josep Amargós, i l'edifici realitzat per Domènech i Montaner com a cafè-restaurant per a l'Exposició Universal de 1888, i que, actualment, és la seu del Museu de Zoologia.

The Museum of Zoology from the greenhouse

Among the unique buildings in Parc de la Ciutadella is the greenhouse, a work by Josep Amargós, today the headquarters of the Museum of Zoology, undertaken by Doménech i Montaner as a café-restaurant for the Exhibition of 1888.

温室から眺めた動物博物館

ジュゼップ・アマルゴスの作品であるこの温室は、シウタデリャ公園内に建ち並ぶ素晴らしい建築物の一つである。現在、動物博物館となっている建物は、ドゥメネク・イ・ムンタネルが1888年の万国博覧会にカフェレストランとして建築したもの。

80 Detall de la Casa Amatller

Entre les referències neogòtiques utilitzades a la casa Amatller, figura aquest relleu d'Eusebi Arnau al·lusiu al mite de Sant Jordi.

Detail of the Casa Amatller

Among the neo-gothic references used in the Casa Amatller feature this mythological relief of St. George, sculpted by Eusebi Arnau.

アマトリェル邸のディテール

ネオ・ゴシック様式のアマトリェル邸の要素の中でも、サン・ジョルディの神話に基づいて作成されたエウセビ・アルナウの彫刻は見事である。

81 Interior del Palau Macaia

Aquest detall del pati interior del Palau Macaia, obra de Puig i Cadafalch al passeig de Sant Joan, posa en evidència l'ornamentació floral dels relleus de l'escala i el treball de forja de la reixa, tan representatius del modernisme.

Interior of the Palau Macaia

The detail of the inner courtyard of Puig i Cadafalch's Palau Macaia in Passeig de Sant Joan clearly shows the floral relief on the stairway and wrought ironwork of the gate, so typical of the Modernist period.

マカイア邸内部

プッチ・イ・カダファルクが手がけたパセッジ・ダ・サン・ジョアン通りにあるマカイア邸の中でも、中庭階段の花模様のレリーフと鍛鉄製柵は見事で、モデルニスモの代表傑作の一つである。

82 Escala de la casa Manuel Felip

Tot l'Eixample està farcit de detalls de construcció i d'ornamentació modernistes, com aquesta escala realitzada per l'arquitecte Telm Fernández.

Stairway in the Casa Manuel Felip

Countless attractive and interesting details of Modernist construction and ornamentation appeared throughout the entire Eixample district, such as this stairway by the architect Telm Fernández.

マヌエル・フェリップ邸の階段

エシャンプレ地区には数え切れないほど多くのモデルニスモ建築、装飾がある。建築家テルム・フェルナンデスによるこの階段もその一つである。

83 Porta del Drac. Pavellons Güell

Gaudí ideà aquest extraordinari drac de ferro forjat per a la porta principal dels pavellons Güell. Està inspirat en el que guardava el mític Jardí de les Hespèrides, i el seu cos reprodueix la posició de les estrelles a les constel·lacions del Drac i d'Hèrcules.

The Dragon Gate at the Güell Pavillions

Inspired by the guardian of the mythological garden of the Hesperides, Gaudí designed this wrought iron dragon for the main entrance of the Güell Pavillions. Its form reproduces the position of the stars in the constellations of the Dragon and Hercules.

フィンカ・グエルの門扉のドラゴン

ガウディは、神話のヘスペリスたちが守った楽園の門に着想を得て、この鍛鉄製ドラゴンをフィンカ・グエルの入口建物の門扉に配した。このドラゴンの体は、竜座とヘラクレス座の星の位置を再現している。

84 Entrada als Pavellons Güell

L'entrada a la propietat que la família Güell tenia al barri de Pedralbes inclou aquest conjunt d'edificacions, que flanquegen la porta del drac, integrat per un pavelló d'entrada, unes cavallerisses i un picador.

Entrance to the Güell Pavillions

The entrance to the estate owned by the Güell family in the Pedralbes district includes this series of constructions that flank the Dragon Gate, composed of an entrance pavilion, the stables and a ring.

フィンカ・グエルの入口建物

グエル家がペドラルベスの地に所有していた別荘地の入口であるドラゴンの門扉の両側には、厩舎や馬場などの建物が配されている。

85 Façana posterior de la casa Comalat

La casa Comalat, obra modernista de Salvador Valeri, presenta a la seva façana posterior una solució força diferent de la de la façana principal. Aquí, les galeries ondulants de fusta i les ornamentacions ceràmiques semblen gaudir d'una més gran llibertat expressiva.

Rear façade of the Casa Comalat

The rear section of the Casa Comalat, a Modernist work by Salvador Valeri, provides a very distinct solution to that of the front part. Here, the undulating wooden galleries and the ceramic ornamentation seem to enjoy a greater level of expressive freedom.

コマラー邸の裏側ファサード

サルバドール・ヴァレリによるモデルニスモの作品、コマラー邸の裏側は正面ファサードとは全く別の表情を見せる。波打つような木の出窓やタイルの装飾は、まるで表現しうる限りに自由を謳歌しているようだ。

86 Interior de Bellesguard

La torre de Bellesguard, situada a la falda del Tibidabo, fou encarregada a Gaudí l'any 1900. És d'inspiració gòtica, i aquí veiem una part del vestíbul i de l'escala principal.

Interior of Bellesguard

The villa of Bellesguard, located at the foot of Tibidabo, was commissioned to Gaudí in 1900. It is a building inspired by Gothic architecture and here we see a part of the lobby and main stairway.

ベリェスグアルド内部

ティビダボ山のすそ野に位置するベリェスグアルドの別荘は、1900年、ガウディによってゴシック様式で建築された。写真は、玄関ホールと主階段。

87 Reixa del Palau Güell

Aquest detall de ferro forjat de la part superior d'una de les portes d'entrada al palau Güell té un disseny sinuós amb què Gaudí s'avança al que més tard utilitzarà el modernisme.

Grille of the Palau Güell

This detail of the upper section of one of the palace's entrance doors has a sinuous wrought iron design with which Gaudí was ahead of his time in that this was used later by the Modernist movement.

グエル邸の鉄格子

ガウディは、グエル邸の入口扉上部の装飾に鍛鉄が曲がりくねったようなデザインを用いたが、これは後にモデルニスモ建築でよく見られる手法となった。

88 Terrassa del Palau Güell

Gaudí va tractar de diverses maneres les sortides de fums i el sistema de ventilació del palau: amb maó, revestiments ceràmics policroms, lloselles de marbre o pedres petites.

Terrace of the Palau Güell

The smoke and ventilation outlets of the palace were dealt with by Gaudí in a different way, with brick façade, coloured ceramic tiling, marble floor tiles and small stones.

グエル邸の屋上

ガウディは、グエル邸の煙突や換気口に、模造レンガ、色彩豊かなセラミックでのコーティング、小さな大理石タイル、小さな石ころなど、様々な手法を用いた。

89 Fundació Joan Miró. Montjuïc

Josep Lluís Sert és l'autor d'aquest edifici que acull la col·lecció d'obres que Joan Miró donà a la ciutat i que, alhora, és la seu del Centre d'Estudis d'Art Contemporani.

The Joan Miró Foundation. Montjuïc

Josep Lluís Sert undertook the architectural project that would house the collection and works donated by Joan Miró to the city and which is also the headquarters for the Study Center of Contemporany Art.

モンジュイックのジョアン・ミロ財団

ジョアン・ミロが市に寄贈した作品コレクションの収容を目的に、ジュゼップ・リュイス・セルトが計画、建築を手がけた。現代美術研究所でもある。

90 Interior de la Fundació Joan Miró

Actualment, la Fundació Miró és un dels museus més actius de la ciutat. A més de la col·lecció permanent de l'artista, organitza regularment nombroses exposicions i actes culturals.

Interior of the Joan Miró Foundation

Until now, the Joan Miró Foundation has been one of the most active museums in the city. Apart from the permanent showing of the artist's work, the museum continuously puts on other exhibitions and cultural events.

ジョアン・ミロ財団の内部

現在、ジョアン・ミロ財団はバルセロナで最も積極的な活動を行っている美術館の一つである。ミロの作品の常設展示の他、様々な作品の展示や文化活動が頻繁に催されている。

91 Auditori Municipal

Obra de l'arquitecte Rafael Moneo, l'Auditori té una capacitat de 2.600 persones a la sala de concerts simfònics i de 700 a la de concerts de cambra. A més, disposa de biblioteca, museu i un laboratori d'electroacústica, entre altres serveis i activitats.

The Municipal Auditorium

L'Auditori, work of the architect Rafael Moneo, has a capacity for 2.600 people in the concert hall and 700 in the chamber concert hall, as well as a library, museum and electro-acoustic laboratory, among other services and activities.

市民ホール

建築家ラファエル・モネオの作品である市民ホールは、交響楽ホールが2600人、室内楽ホールが700人を収容でき、さらに図書館、博物館、電気音響学スタジオなど、様々な施設やサービスなどが整えられている。

92 La ciutat als peus del Tibidabo

Al final del capvespre s'encenen les llums de la ciutat. Des de la talaia del parc d'atraccions es veu Barcelona als peus de la muntanya del Tibidabo. Per aquí han passat bona part de les alegries d'infància dels barcelonins.

The city below Tibidabo

With the last rays of the evening sun, the first lights go on in the city. At the foot of the mountain of Tibidabo, Barcelona is seen from the watchtower of the amusement park. Many happy moments have been spent here by the children of Barcelona over the years.

ティビダボ山のすそ野に広がる市街

夕暮れ時、街に灯がともり始める。ティビダボ山にあるアタラヤ遊園地からはバルセロナ市内が一望できる。ここはバルセロナの子どもたちの夢の国だ。

93 Torre de telecomunicacions

Norman Foster és l'autor d'aquest modern disseny per a la nova torre de telecomunicacions que centralitza els serveis que fan servir aquesta tecnologia. S'alça 260 metres sobre la serra de Collserola.

Telecommunication tower

Norman Foster designed this modern telecommunication tower which centralises the services using this technology. It soars 260 metres above the Collserola hills.

通信塔

ノーマン・フォスターの手によるモダンなデザインの新テレビ塔。新しいテクノロジーによる通信サービスの集中化が期待できる。コルセローラ山脈の標高260メートルに位置する。

94 Bars i locals nocturns

Els darrers anys la vida nocturna de Barcelona ha experimentat un gran augment. El disseny predomina en la concepció dels nous locals que amenitzen la nit barcelonina.

Bars and nightspots

The city's nightlife has been thriving in recent years. Hi-tech design plays an important role in the conceptualisation of the new spots that liven up the Barcelona nights.

バルとナイトスポット

ここ数年、ナイト・ライフが空前のブームを迎えている。その主役は、バルセロナの夜を華やかに演出する新しいナイトスポットのデザインである。

95 Casa Arnús. "El Pinar"

El modernisme, en la seva expressió ornamental més epidèrmica, fou adaptat per corrents més conservadors i eclèctics, com ara aquest palauet d'inspiració gòtica, obra de l'arquitecte Enric Sagnier, que sobresurt entre les ombres de la falda del Tibidabo.

Casa Arnús. "El Pinar"

Modernism, in its most superficial expression, was adopted by the more conservative and eclectic sections of society of the time. This mansion along neo-gothic lines, by the architect Enric Sagnier, is especially striking here among the shadowy slopes of Tibidabo.

アルヌス邸「アル・ピナー」

市内に点在するモデルニスモ建築の中でも、アルヌス邸は最も代表的な作品であろう。建築家エンリック・サクニェールはティビダボ山のふもとの陰の中にゴシック様式のインスピレーションを注ぎ込んだ鮮やかな建物を出現させた。

96 Anella olímpica de Montjuïc

L'entorn de l'anella olímpica, amb les noves instal·lacions esportives: el Palau Sant Jordi i l'Estadi Olímpic, completament renovat, s'ha transformat en una espectacular zona d'oci de gran importància ciutadana.

The Olympic Area of Montjuïc

The presence of the new sporting venues, such as the Palau Sant Jordi and the refurbished Olympic Stadium, have been decisive in the spectacular urban development around the Olympic Area, making it an important leisure area for the people of Barcelona.

モンジュイックのオリンピック競技場

パラウ・サン・ジョルディの建設やオリンピック・スタジアムの改築など、スポーツ施設の整備がすすめられたオリンピック競技場周辺。現在この付近は市民の一大レクリエーション・スペースとなっている。

97 *Aurigues* de Pablo Gargallo

Els dos aurigues, que ja presidien l'antic Estadi de Montjuïc, dominen ara, des del cim de les portes d'accés, la magnífica perspectiva sobre el Palau Sant Jordi i la resta de l'anella olímpica.

Charioteers by Pablo Gargallo

The two charioteers that were present in the old Montjuïc stadium before its renovation now look out over the splendid sight of the Palau Sant Jordi and the rest of the Olympic Area.

パブロ・ガルガジョの御者

モンジュイックの旧オリンピック・スタジアムにあった二人の御者の彫像は、現在は入口ゲートに配されており、パラウ・サン・ジョルディやオリンピック場周辺の素晴らしい景色を見下ろしている。

98 Teatre Nacional de Catalunya

Situat a la zona de les Glòries, al costat de l'Auditori, el Teatre Nacional de Catalunya, obra d'inspiració neoclàssica de l'arquitecte Ricardo Bofill, disposa de dues sales per a representacions amb una capacitat de 1.000 i 500 espectadors respectivament.

The National Theatre of Catalonia

The National Theatre of Catalonia, a work of neo-classical inspiration by the architect Ricardo Bofill, situated alongside L'Auditori in the Glòries area of the city, has two halls for performances with capacities for 1.000 and 500 spectators, respectively.

カタルーニャ国立劇場

グロリエス地区の市民ホールに隣接するカタルーニャ国立劇場は、建築家リカルド・ブフィルが手がけたネオ・クラシック建築物で、それぞれ1000人、500人を収容することのできる二つのホールがある。

99 Escultura de Georg Kolbe

El Pavelló d'Alemanya, que Mies van der Rohe va dissenyar per a l'Exposició Internacional de 1929, va ser reconstruït el 1985 amb els mateixos materials i amb el mateix mobiliari que l'original. Al pati interior, s'hi pot admirar una rèplica en bronze de l'escultura de Georg Kolbe *Morgen* (El matí).

Sculpture by Georg Kolbe

The German Hall by Mies van der Rohe for the 1929 Barcelona International Exhibition was rebuilt in 1985 on the same site, using the original construction materials and furnishings. The inner courtyard features a bronze replica of the sculpture by Georg Kolbe, *Morgen* (Morning).

ジョージ・コルベの彫像

1929年のバルセロナ万博でミエス・ヴァン・デル・ロヘが建てたドイツ館は、1985年、同じ建材、家具などを用いて再建築された。その中庭には、ジョージ・コルベの手による彫像「Morgen（朝）」のブロンズ・レプリカが配されている。

100 Mamut del parc de la Ciutadella

Són molts els racons evocadors que hi ha al parc de la Ciutadella, com ara aquest del mamut prehistòric que trobem a la vora del llac.

Mammoth in Parc de la Ciutadella

There are many evocative corners strewn around Parc de la Ciutadella, such as this prehistoric mammoth that overlooks the lake.

シウタデリャ公園のマンモス

先史時代のマンモス像が湖畔に君臨しているように、シウタデリャ公園では色々なものを思わせる片隅が無数にある。

101 Parc del Laberint

El laberint forma part d'una antiga heretat —avui, parc públic—, amb edificis neoclàssics, situada al costat del velòdrom d'Horta. Al mig dels seus amplis jardins es troba aquest mític recinte.

Parc del Laberint

The maze forms part of an old estate with neo-classical buildings – today a public park – situated alongside the Horta Velodrome. The maze is situated in the heart of these spacious gardens.

迷路公園

ネオ・クラシック風の古い別荘にある迷路。オルタ競輪場のすぐ側にあり、現在は公共の公園となっている。広大な庭園の中心へ向かうと、神話の世界に迷い込んだようだ。

102 Pont de Bac de Roda

Obra de l'arquitecte i enginyer Santiago Calatrava, aquest pont-escultura que simbolitza la nova realitat viària de Barcelona enllaça els sectors nord i sud dels barris de l'est de la ciutat.

Bac de Roda Bridge

This bridge-sculpture, by the engineer and architect Santiago Calatrava, symbolises city's new road network and joins the northern and southern districts of the Barcelona's eastern area.

バック・ダ・ロダ橋

建築家でもあり技師でもあるサンティアゴ・カラトラバの作品であるこの橋は、バルセロナの新しい道路網のシンボルでもあり、市内東部を南北に結んでいる。

103 Parc de l'Espanya Industrial

Concebut com si d'unes modernes termes romanes es tractés, aquest parc s'inscriu en la més pura tradició mediterrània. Vorejant l'aigua, la vegetació i les grades acullen el passejant i li ofereixen la calma i la tranquil·litat en una zona densament poblada.

Parc de l'Espanya Industrial

Conceived along the lines of a modern Roman spa, the park has been designed within the framework of pure Mediterranean traditions. Around the water, the vegetation and the tiers of steps offer an oasis of peace and quiet in the heart of a densely populated district.

スペイン産業公園

ローマの公衆浴場の現代版をイメージしたこの公園では、地中海の純正な伝統を目にすることができる。人々は水際の木々の間を散策したり、階段テラスに座ったりして、都会の喧噪を離れ、静かにゆったりと時を過ごす。

104 Interior de l'Aquàrium

Les instal·lacions de l'Aquàrium ofereixen un espectacle insòlit a totes les seves dependències, encara que res no es pot comparar al que se sent amb els taurons al túnel de l'oceanari.

Interior of the Aquàrium

The Aquarium provides a stunning spectacle in all its sections, but nothing can be compared to the closeness we feel to the sharks in the transparent observation tunnel.

水族館内部

水族館内では、それぞれ珍しい光景に出会うことができるが、中でも水中トンネルからサメを近くで見たときの興奮は格別である。

105 Aquàrium

L'Aquàrium, a l'àrea del Maremàgnum, és un dels nombrosos reclams de l'oferta lúdica a la nova façana marítima de Barcelona.

Aquàrium

Situated in the new Maremàgnum area, the Aquarium is one of the most popular leisure spots on offer along the city's new seafront.

水族館

新エリア、マレマクヌンに建設された水族館は、バルセロナのウォーターフロント地区の中でも人気のスポットである。

106 Palau Sant Jordi

El Palau Sant Jordi, obra de l'arquitecte japonès Arata Isozaki, és la construcció més representativa de les que configuren l'anella olímpica de Montjuïc. La seva execució és producte d'una complexa obra d'enginyeria informatitzada.

Palau Sant Jordi

The Palau Sant Jordi, work of the Japanese architect Arata Isozaki, is the most representative building that makes up the Montjuïc Olympic Area. Its construction is the result of a complex system of computerised engineering.

パラウ・サン・ジョルディ

日本人建築家、磯崎新が設計したパラウ・サン・ジョルディは、モンジュイックにあるオリンピック会場の中でも代表的な建築物で、情報工学を駆使した複雑な構造となっている。

107 Floquet de Neu, barceloní il·lustre

La popularitat de Floquet de Neu, l'únic goril·la albí conegut, supera els límits del Parc Zoològic, la seva residència. Potser no hi hagi cap altre animal viu tan emblemàtic com ell.

Floquet de Neu, a citizen of Barcelona

The popularity of Floquet de Neu (Snowflake), the only known example of an albino gorilla, goes beyond the limits of the Zoo, his home. There is perhaps no other animal that is as emblematic as Snowflake.

バルセロナの人気者「コピート・デ・ニエベ」

知られている限りでは世界でただ一頭の白いゴリラ。コピート・デ・ニエベ（ひとひらの雪）の人気は動物園内のみにとどまらない。彼ほど街のシンボル的存在になっている動物は、世界中どこを探しても見つからないだろう。

108 Barri de la Vila Olímpica

La concepció global de la Vila Olímpica es deu a l'equip d'arquitectes Martorell-Bohigas-Mackay-Puigdomènech, que transformaren una antiga zona industrial en un nou barri residencial, en què participaren més de vint-i-cinc estudis d'arquitectura.

The Vila Olímpica district

The global conception of the Olympic Village is the work of the architectural team of Martorell-Bohigas-Mackay-Puigdomènech, which transformed the old industrial area into a new residential district with the participation of over twenty-five architectural studios.

オリンピック村

オリンピック村の全体構想は、マルトレル、ブイガス、マッケイ、プッチドメネクといった建築家グループによるもので、25を超える建築事務所の参加により、昔ながらの工業地帯が新しい居住地区へと姿を変えた。

109 Claustre del Monestir de Pedralbes

Un exemple del millor gòtic català, el Monestir de Pedralbes, fundat el 1326, posseeix aquest magnífic claustre quadrat de tres galeries superposades. El seu recinte també acull la col·lecció Thyssen-Bornemisza, que ha enriquit l'oferta museística de la ciutat.

Cloister of the Monastery of Pedralbes

An example of the best of Catalan Gothic, the Monestir de Pedralbes, founded in 1326, has this superb cloister framed by three superimposed galleries. The site also houses the Thyssen-Bornemisza collection, enriching the city's artistic and cultural heritage.

ペドラルベスの修道院の回廊

カタルーニャ・ゴシック建築の代表とも言えるペドラルベス修道院は、1326年に設立され、堂々たる四角回廊が見事である。この回廊のうち、三本が二重回廊である。修道院が所有するティッセン・ボメミッツァのコレクションは、芸術の街バルセロナに彩りを添えている。

110 *Elogi de l'aigua*

El parc de la Creueta del Coll és un exemple clar d'actuació urbanística que incorpora la presència d'artistes de prestigi internacional, com aquest *Elogi de l'aigua* de l'escultor basc Eduardo Chillida.

In praise of water

The Parc de la Creueta del Coll is a clear example of urbanism that involves internationally famous artists, such as this *Elogi de l'aigua* (In praise of water) by the Basque sculptor Eduardo Chillida.

チリーダの「水への賛美」

クレウエタ・ダル・コル公園は、国際的に定評のある芸術家たちが表現を行う都会的活動の場でもある。写真は、バスク人彫刻家エドゥアルド・チリーダの「水への賛美」。

111 Estadi del Futbol Club Barcelona

Situat a la part alta de la Diagonal, l'estadi del Nou Camp té una capacitat de 98.000 espectadors i figura entre les millors construccions d'arquitectura esportiva. Més de 100.000 socis segueixen amb passió les activitats del club.

Barcelona Football Club Stadium

Situated in the high part of Diagonal, the Nou Camp stadium has a capacity for 98,000 spectators and features amongst the very best pieces of sports architecture. Over one hundred thousand members follow the club's progress passionately.

F.C. バルセロナのサッカースタジアム

ディアゴナルの高台にあるノウ・カンプ・スタジアムは、12万人の収容力を誇り、スポーツ建築物としても最高レベルのものである。F.C. バルセロナのチームの活動には、10万人以上の熱狂的な会員が参加している。

112 Foc i diables

Les tradicions populars es viuen amb intensitat al llarg de l'any, especialment les de la patrona de la ciutat, la Mare de Déu de la Mercè, quan s'organitzen correfocs com aquest.

Fire and Devils

Popular traditions live on throughout the year, especially during the festival in honour of the city's patron saint, the virgin of the Mercè. In many of them "correfocs", running firework displays, are organised, such as this one being led by the festival devils.

火と悪魔

現在もなお、様々な伝統行事が年間を通して行われているが、中でもバルセロナの守護聖人ラ・メルセーに関する行事は格別で、悪魔が主役となる「コレフォックス」が行われる。

113 Mosaic romà

El mosaic romà *Les Tres Gràcies* fou trobat a Barcelona, i és una de les innombrables peces arqueològiques del passat històric de la ciutat que es poden admirar al Museu Arqueològic de Montjuïc.

Roman mosaic

The Roman mosaic of the *Three Graces* was uncovered in Barcelona and is one of the countless archaeological pieces of the city's history that can be seen in the Museu Arqueològic de Montjuïc.

ローマのモザイク

バルセロナで発見されたラス・トレス・グラシアスのローマのモザイクは、バルセロナの歴史を語る数多くの考古学的資料の一つである。現在は、モンジュイックの考古学博物館で見ることができる。

114 Pantocràtor romànic

El Pantocràtor de l'església romànica de Santa Maria de Taüll, s'exhibeix al Museu Nacional d'Art de Catalunya, on trobem la millor col·lecció de pintura mural romànica del món.

Romanesque Christ Pantocrator

The Pantocrator comes from the Romanesque church of Santa Maria de Taüll and is on show at the Museu Nacional d'Art de Catalunya, which houses the biggest collection of Romanesque mural painting in the world.

ロマネスク壁画「全能の神」

ロマネスク様式のサンタ・マリア・デ・タウル教会が所有していた全能の神の壁画は、世界中のロマネスク壁画コレクションを誇るカタルーニャ国立美術館で見ることができる。

115 Fundació Antoni Tapies

La Fundació Antoni Tàpies, prestigiós centre d'activitat cultural, té la seva seu en aquest edifici de Domènech i Montaner, una de les primeres construccions del modernisme català. L'escultura *Núvol i cadira*, obra del mateix Antoni Tàpies, corona l'edifici.

The Antoni Tapies Foundation

The Fundació Antoni Tapies, a centre of intense cultural activity, occupies this building by Domènech i Montaner, considered at its time of construction to be a piece of pioneering Catalan Modernism. The sculpture *Núvol i Cadira* (Cloud and Chair), by Antoni Tapies himself, is situated on the roof of the building.

アントーニ・タピエス財団

権威ある文化事業団体のアントーニ・タピエス財団は、ドゥメネク・イ・ムンタネル設計の建物に本部を構えている。カタルーニャ・モデルニスモのパイオニア的存在でもあるこの建物の屋上では、アントーニ・タピエス自身の彫刻作品「ヌボル・イ・カディラ（雲と椅子）」が人々の目を引いている。

116 Pati central del Museu Picasso

El Museu Picasso està instal·lat a diferents palaus del carrer Montcada. L'entrada principal es troba al Palau Berenguer Aguilar, originari del s. XV.

Central courtyard of the Museu Picasso

The Picasso Museum is found spread through several palaces along Montcada Street, the main entrance being found in this Palau Berenguer Aguilar, dating from the 15th century.

ピカソ美術館の中庭

ピカソ美術館は、モンカダ通り沿いのいくつかの建物に分かれて入っている。美術館のメインエントランスは、15 世紀に建築されたベレンゲー・アギラー宮殿てある。

117 Panorama de la ciutat

La ciutat oberta al Mediterrani és la imatge que evoca millor la naturalesa de Barcelona. Dins la trama viva de carrers i barris, entre el perfil protector de la serra de Collserola i el mar, batega la vida dels barcelonins i barcelonines.

Panorama of the city

The city open to the Mediterranean is the image that best evokes the nature of Barcelona. Between the Collserola range and the sea, among the throbbing network of streets and neighbourhoods, the lives of Barcelona's inhabitants take place.

街のパノラマ

地中海に開かれた街と言えば、バルセロナの自然を思い浮かべる人も多いだろう。コルセローラ山脈と海に挟まれたこの街の碁盤の目状の地区や通りで、バルセロナの人々の活気に満ちあふれた生活は今日も営まれている。

118 A Catalunya, cel clar

El suau clima mediterrani fa que sovintegin els pronòstics de bon temps a TV3 (Televisió de Catalunya).

Clear skies over Catalonia

The mild Mediterranean climate allows TV3, the local television station, to frequently forecast good weather for Catalonia.

カタルーニャの晴れ渡った空

地中海の温暖な気候に恵まれたカタルーニャ地方では、天気予報はほとんど毎日が快晴である。（カタルーニャ地方テレビ局、TV3 の映像）

119 Casa Batlló

La il·luminació nocturna de l'edifici posa de manifest la subtilesa cromàtica de la casa Batlló, especialment de les teules col·locades com si fossin escates.

Casa Batlló

The floodlit facade of the Casa Batlló reveals the full range and subtlety of its colour scheme, especially that of the roof tiles placed like scales.

バトリョ邸

建物全体に絶妙な色遣いを見せるバトリョ邸。夜間照明に照らし出され、うろこのような屋根が一層際立つ。

Edició Published by 発行所	Triangle Postals SL
Coordinació Coordination 出版	Paz Marrodán / Jaume Serrat
Text Text 本文	Borja Calzado
Traducció Translation 翻訳	Josep Liz Steve Cedar 日本スペイン文化経済交流センター EXTENSION, Osaka
Disseny Design デザイン	América Sanchez scp / Joan Colomer
Fotografies Photographs 写真	Pere Vivas 1, 3, 4, 5, 6, 7, 8, 9, 11, 12, 13, 14, 15, 16, 17, 19, 21, 22, 24, 25, 26, 28, 29, 30, 33, 34, 36, 37, 38, 40, 41, 42, 43, 44, 45, 46, 47, 48, 50, 51, 52, 54, 55, 56, 58, 62, 63a, 63b, 64, 66, 67, 68, 70, 72, 73, 74, 76, 77, 79, 80, 82, 83, 84, 85, 89, 91, 92, 93, 94, 95, 96, 99, 100, 101, 102, 106, 107, 108, 110, 115, 116, 118, 119 Juanjo Puente / Pere Vivas 69, 98, 104, 105 Ricard Pla 2, 18, 20, 31, 35, 39, 49, 53, 57, 60, 63c, 63d, 71, 75, 81, 90, 97, 103, 112 Ricard Pla / Pere Vivas 10, 59, 61, 78, 86, 87, 88 Lluís Bertrán 23, 27 Jordi Todó, Tavisa 65, 111, 117 MHCB. Museu d'Història de la Ciutat (Pere Vivas) 32, 109 Museu d'Arqueologia de Catalunya 113 MNAC. Museu Nacional d'Art de Catalunya (Calveras, Mèrida, Sagristà) 114
Impressió Printed by 印刷	Indústries Gràfiques Viking, SA
Paper Paper 紙	Creator Silk, 150 gr/m². Torraspapel SA
Dipòsit legal ISBN	B-33.254-2002 84-8478-006-6
Triangle Postals	Sant Lluís (Menorca) Tel. (34) 971 15 04 51 / Fax (34) 971 15 18 36 Barcelona Tel (34) 93 218 77 37 / E-mail paz@teleline.es www.trianglepostals.com